PHP
Business Shinsho

「話す」「書く」「聞く」能力が仕事を変える!

伝える力

Akira Ikegami
池上　彰

PHPビジネス新書

はじめに

「アラスカで見たオーロラ、とてもきれいだったよ。キミにも、ぜひ見せてあげたいな」

「あの映画、とても感動したわ。映画を観て泣いたのは何年ぶりかしら。絶対、おすすめよ」

「このあいだのプレゼン、しっかり準備しただけあって、バッチリだったよ。部長からもほめられたんだぜ」

……こうしたセリフ、あなたも一度や二度、吐いたことがあるでしょう。

えっ、アラスカなんかに行ったことはない？　オーロラなんて、テレビでしか見たことがない？

もちろん、このままのセリフをあなたが言ったことがあるとは、私も思ってはいません。

アラスカが「函館」で、オーロラが「夜景」だって、全然構いません。

人は誰でも、おもしろいことや感動したこと、珍しいことなどを見たり、体験したりしたときには、ほかの人に伝えたくなるものです。あなたも、心揺さぶられることがあれば、それを誰かに伝えたくなるのではないでしょうか。

子どものころを振り返れば、「ねぇねぇ、聞いて、聞いて。あのね……」と誰もが言っていたでしょう。この気持ちは、大人になっても多くの人が持ち続けているはずです。ほかの人に何かを伝えたい。その思いは、人間が社会的動物である以上、当然のことです。

無人島に一人やってきて、きれいな夕日を見たとしたら、感動した後、その感動をすぐに伝える相手がいないことに寂しさを覚えるはずです。その光景をきっと誰かに伝えたくなるでしょう。

本書では、特にビジネスパーソンを念頭に置いて、「伝える力」の高め方について書いています。

本書でいう「伝える」には、「話す」ことと「書く」ことの両方を含みます。さらにいえば、本書では「聞く」ことも「伝える」ことの一つと考えます。相づちを打ったり、返事をしたり、目をジッと見たり、あるいは反対に目をそらしたりする行為も、相手に何かしらを「伝える」ことになるからです。こうして考えると、「話す」「書く」そして「聞く」行為は、まさに「コミュニケーション」です。

コミュニケーション能力は、現代人にますます問われるようになっています。商談や会議、打ち合わせ、プレゼンテーション、企画書や報告書の作成、電話での交渉、メールを使った連絡、ファクス、手紙等々、人に何かを伝え、人とコミュニケーションをとる機会は増える一方です。それらによって、業績が左右されることも往々にしてあります。

ビジネスパーソンなど現代人に必須の能力といえる「伝える力」。では、その力はどうやって磨き、高めていったらよいのでしょうか。

本書では、そのヒントをできるだけ「伝え」ていこうと思います。

二〇〇七年三月

池上　彰

伝える力

目次

第1章 「伝える力」を培う

第2章 相手を惹きつける

第3章 円滑にコミュニケーションする

第4章 ビジネス文書を書く

第5章　文章力をアップさせる

第6章　わかりやすく伝える

第7章 この言葉・表現は使わない

第8章 上質のインプットをする

装幀◇齋藤　稔
本文デザイン◇朝日メディアインターナショナル株式会社
取材協力◇平出　浩

第1章

「伝える力」を培《つちか》う

1.「日銀」とは何か、説明できますか？

いきなりですが、質問です。

あなたは、日銀が何をしているところかご存じですか？

中学校や高校で一所懸命勉強をして、それ相応の知識を持っている人は得意満面にこう答えるかもしれません。

「日本銀行とは日本の中央銀行で、銀行券の発行ができ、市中銀行及び政府に対する貸し出しや国庫金の収支業務を行なう銀行です。また、金利の操作や公債の受け渡し・回収を通して通貨の増減を図っています。いわば発券銀行であり、銀行の銀行であり、政府の銀行でもあります」

と。

なかなか立派な解答だと思います。

経済学の教科書にもこのように書いてありますから、模範解答として、満点をもらえそうです。

では、日銀とはどんなところか、小学生に説明してみてください。

「日銀は発券銀行でね……」と言ったとたん、彼らは、

「ハッケンギンコウって何ですか？」

と聞いてくるでしょう。「何をハッケンするの？」と聞かれて、小学生が「ハッケン」を「発見」だと誤解していることに気づくかも知れません。

もう少し噛み砕いて「お札を発行する銀行なんだよ」と説明しても、

「エーッ？　お札を発行するって、私たちにお金をくれるの？」

なんて聞かれてしまいます。

相手は手強い。

なぜ手強いかというと、素朴な疑問を持って、それをそのまま口に出すからです。

「日銀は市中にお金を供給しているんだよ」とでも言おうものなら、

「シチュウって何？」

「キョウキュウするってどういうこと？」

と聞かれるでしょう。

実はそうした素朴な疑問こそ、往々にして本質を衝《つ》いているものです。

子どもたちから矢継ぎ早にそうした質問を受けていると、

「あぁ、自分は日銀について、本当にわかっているんだろうか。いや、何もわかっていないんじゃないか」

ということに気づかされます。

これは、私自身が「週刊こどもニュース」というテレビ番組で経験したことでもあります。

「伝える」ために大事なこと。

それはまず自分自身がしっかり理解することです。自分がわかっていないと、相手に伝わるはずがないからです。


こんなこともありました。

あるとき、知り合いのアナウンサーが放送でニュース原稿を読んでいるのを何気なく聞いていると、ある一カ所で突然、その内容が頭に入らなくなったのです。

放送が終わった後で、その人に聞いてみました。

「今の放送で、意味がわからないまま読んだところ、なかった？」

と。

思った通りでした。

原稿を読んでいるとき、突然フッと集中力が途切れ、その部分の原稿の意味がとれなくなったそうです。

意味がわからないまま読んだり話したりすると、それを聞いている相手も意味がわからない。そのことを、私はこのとき初めて知りました。

2. 深く理解していないと、わかりやすく説明できない

そういう私も、日々、学ぶことの多い身です。

私がとりわけ「自分の『伝える力』はまだまだだな」と思い知らされたのは、NHK時代に「週刊こどもニュース」を担当していたときです。

「週刊こどもニュース」に関することは、これからも折に触れて書きますので、ここで少し説明しておきましょう。

「週刊こどもニュース」とは、日々のニュースを、子どもたちにわかりやすく解説するこ

とを目的にしたＮＨＫ総合テレビの番組です。一九九四年にスタートし、現在は土曜日の夕方に生放送されています。

私はこの番組に一一年間、出演していました。

この「週刊こどもニュース」では、本当に勉強させてもらいました。誰にかといえば、それはなんといっても、子どもたちに、です。

子どもたちは当時の私にとって、デスクであり、先生でもありました。

大人には通じる〝常識〟が子どもには通じない。知識も社会経験も、大人に比べると少ないのですから当たり前です。

その子どもたちに、どうやって世の中で起きている事件や事故、出来事をわかりやすく伝えるか。これが大変だったのです。

基本的な作業としては、まず、ＮＨＫが大人向けに伝えたニュース原稿を子ども向けに書き直します。その書き直した原稿を放送前に子どもたちに読んで聞かせます。子どもたちが「わからない」と言ったら、わかるまで書き直すのです。

テレビ局や新聞社、出版社には「デスク」という立場の人がいます。

デスクとは、現場の記者が書いた原稿に手を入れて読みやすくしたり、事実関係に間違いがないか確認したり、記者に取材の指示を出したりする記者のことです。デスクがＯＫを出さないと、原稿は日の目を見ません。

記者ではあるのですが、基本的には机に向かって仕事をするので、「デスク（机）」と呼ばれるようになりました。

「週刊こどもニュース」では、出演者の子どもたちに〝ダメ出し〟されるわけですから、この子どもたちがデスクなのです。

子どもたちに〝ダメ出し〟されることによって、私たちスタッフは多くのことを学びました。子どもたちは先生でもありました。

先ほどの「日銀」の問題もそうです。子どもたちから「日本銀行って何？」と聞かれると、意外に答えられなかったのです。

報道記者やキャスターとして日常的に使っていた言葉だけに、これは衝撃でした。単に自分が知って、覚えているだけでは不十分なのです。

たとえば、難しい科学用語が紙面に躍っているとします。

みんなが使っているから、恥をかかないようにコッソリ調べておこうとする。

これ自体はよい心がけでしょうが、「こういうことか。なるほど、なるほど」と思っても、それだけでは本当に理解したことになりません。マークシートの試験では正解できるかも知れませんが、いざ、誰かに説明しようとするとシドロモドロ、なかなかうまくできないものです。

特に、そのことに関してまったく知識のない人にわかるように伝えるには、自分も正確に理解していないと、とても無理です。うろ覚えや不正確な知識、浅い理解では、相手がわかるはずはありません。

何かを調べるときには、「学ぼう」「知ろう」という姿勢にとどまらずに、まったく知らない人に説明するにはどうしたらよいかということまで意識すると、理解が格段に深まります。理解が深まると、人にわかりやすく、正確に話すことができるようになります。

3. 教科書はわかりにくい

「週刊こどもニュース」を制作するに当たっては、いろいろな参考書や資料を見て調べたのですが、その際、気がついたことがあります。

それは「教科書や参考書は非常にわかりにくい」ということです。

先ほどの「日銀」の説明もそうですが、ほかにもとっつきにくい説明がたくさんあります。これには愕然《がくぜん》としました。

「国の予算」について取り上げたときのことです。

番組で「国のお金が足りないので、国債という借金をする」と説明しました。すると後日、視聴者の子どもからハガキが届きました。

「国にお金が足りなければ、もっとお札を刷ればいいんじゃないですか？」

とてもいい質問です。同時に、なかなかいい意見にも思えます。

でも、大人なら、国が勝手にお札をどんどん刷っていったら、インフレになってしまうことを知っています。だから、そんな安易にできる方法ではないこともわかります。

あるいは、お札を発行する日銀は国から独立していて、国がお札を印刷するためには、法律改正が必要ですし、日銀券とは別の「政府券」を出すことになってしまいます。これはこれで、ややこしいことになります。

それはともかく、「政府がお札を勝手にどんどん刷ったらインフレになる」という仕組みを、あなただったら、子どもたちにどう説明するでしょうか。

これが難しいのですね。とりわけ、インフレのメカニズムを説明するのが大変です。この難問に取り組むべく、経済学の教科書や参考書を片端から調べていきました。ところが「インフレの原因には、コストプッシュ・インフレとデマンドプル・インフレがある」などと書いてあるだけです。「お札をどんどん刷ったらインフレになる」という、あまりに基礎的で根本的な説明はどの教科書にも参考書にも見当たらなかったのです。

根本的なことを、きちんとわかりやすく説明する。それがいかに難しいことか。多くの専門家が、その課題から逃げていたのです。

仕方がありません。私は、教科書や参考書に頼らずに、自分で考えることにしました。

さて、私はどのようにインフレが発生する仕組みを子どもたちに説明したのでしょうか。それは……。

と、このことを書き出すと長くなってしまうので、本書では割愛します。興味のある人は拙著『これが週刊こどもニュースだ』（集英社文庫）をお読みください。

4. まずは「自分が知らないことを知る」

社会に出て何年か経つと、世の中のことがなんとなくわかったつもりになるかも知れませんが、実はわからないことがたくさんあるのです。

その証拠に、といってはなんですが、子ども向けに作っているはずの「こどもニュース」には大人のファンも大勢います。大人も、ニュースの中身をあまり理解していないというのが私の実感です。


日銀が金利を引き上げたとき、「日銀は金融機関同士が貸し借りしている資金の金利水準を一定にしていて、この金利を引き上げた」という説明をしたら、「なぜ公定歩合だと説明しないのだ」という抗議電話が何本もかかってきました。実は日銀は、公定歩合で金利を決めることをとっくにやめているのですが。

あるいは、「年金は、若い人が払った保険料がお年寄りに渡されます」という説明をしたら、お年寄りたちから、「若い者の世話にはなっとらん。我々が昔払った保険料を積み立てて、それを受け取っているだけだ」という抗議電話が多数かかってきました。これも思い込みですね。今は制度が変わっているのですが。年金制度を理解しないで年金を受け取っているお年寄りが大勢いることがわかりました。

実はわかっていないのに、わかったつもりになっている人が多いのですね。


たとえば、日々のニュースではしばしば登場する「逮捕」という言葉。その令状である逮捕状は誰が出すかご存じでしょうか？

多くの大人は警察だと思っています。

でも、それは間違い。正しくは裁判官です。

このことは、暗記するだけでは「わかった」ことにはなりません。なぜ裁判官なのかまで突き詰めて考えてみましょう。

警察が自由に逮捕状を発行できるようになったら、それこそ警察国家になってしまいます。国民の人権を守ることができ、法律に詳しく、第三者の目で客観的に判断することができるのは誰かと考えていくと、適任は裁判官に行き着きます。

物事をここまで掘り下げて理解したとき、初めて「わかった」といえるでしょう。

「週刊こどもニュース」を制作してみて、「警察庁」と「警視庁」、そして「検察庁」の違いも、理解していない人が多いと実感しました。

番組あてに「警察庁と警視庁は、どう違うのですか？」という質問が寄せられたため、模型を使って、両者の違いを説明したことがありました。

すると、番組を見た大人の視聴者から「検察庁と警視庁の違いがよくわかりました」という反応があって、ガッカリしたこともあります。

ちなみに、警察庁は「全国の警察本部をとりまとめている国の役所」で、警視庁はいわば「東京都の警察本部」のことです。警察庁のトップは警察庁長官で、警視庁のトップは警視総監。そして、検察庁には検察官がいて、警察が捜査した内容をチェックして裁判に起訴したり、独自に捜査したりする機関です。

イスラエルとパレスチナの争いは今も続いていますが、この背景を理解している人も少ないのですね。ユダヤ教だけでなく、キリスト教とイスラム教も『旧約聖書』を聖典にしていることや、三つの宗教はいわば兄弟の関係にあることなど、知らない人が多いのではないでしょうか。

日頃、新聞やテレビで「イスラム原理主義の過激派が……」とか「アメリカの大統領は神に宣誓し……」とかいったニュースを見聞きしていても、深いところまで理解している人は少ないのです。

自分がわかっていないと、人に正確に、わかりやすく伝えることは不可能です。

私は自分の「知らないこと」を子どもたちの「素朴な疑問」によってたくさん知らされました。あるいは、私が知っていることでも、知らない大人が大勢いることを初めて知りました。

彼らの疑問は時に本質を衝きます。

「ねえねえ、ユダヤ教とイスラム教の人はどうして争っているの？」

「キリスト教の人はユダヤ教とイスラム教、どっちの味方なの？　それはなぜ？」

「日本の宗教は何？」

こうした質問に正確に答えられる人は多くはないでしょう。

まずは「自分が知らないことを知る」

「伝える力」を高めるには、このことに気がつく必要があります。

5. 謙虚にならなければ、物事の本質は見えない

こうして見てくると、「伝える力」を高めるためには、自分が深く理解することが必要であるとわかります。

では、理解を深めるにはどうしたらよいのか。そのためには、まずはその前段階として、「自分がいかに物事を知らないか」を知ることからスタートするしかありません。そして、事実に対する畏《おそ》れを持つことも大切です。

私の若いころの話です。

NHKの記者をしていた私は、警視庁記者クラブに所属して、殺人事件の取材を担当していたことがあります。

警察官や現場近くの人から話を聞いて、原稿を書く。それがテレビのニュースになるのですが、翌朝、新聞を開くと、私の知らないことが載っていてびっくりすることがありました。

同じところに行き、同じものを見て、現場の人から話を聞いていたはずなのに、できたものはまったく違う。

これは単に私に取材力が足りなかったからだけなのですが、かなり落ち込みました。いかに自分が何もわかっていなかったかを思い知らされました。

ここに一つの事実があって、自分はその事実を書いた。でも、こっちにもまた別の事実があった。そのことにはまったく気づかずに、ほんの一面だけを見て、知ったつもりになって、それで原稿を書いていたのです。

こうしたとき、私は「わかったつもりは怖い」と痛感したものです。それとともに、事実や物事に対して「謙虚になることが大切」であると身に沁《し》みて感じました。

知ったつもりになっても、実は知らないことは、誰しも山ほどあります。謙虚になれば、それが見えてきます。逆にいうと、謙虚にならないと何も見えてこないし、成長も上達もしません。


たとえば、二十代のビジネスマンが何か報告書をまとめたとしましょう。

よくまとまっていて、自分では会心の出来だと思っています。

しかし、上司や先輩から見れば、稚拙《ちせつ》なところが目につくし、内容ももう一歩ということは決して珍しくありません。

それを「自分の報告書は完璧だ」「非の打ち所がない」などと思っていると、成長は間違いなくそこで止まってしまいます。

ＮＨＫの駆け出し記者だったころ、取材して書いた原稿をデスクに渡すと、「このあたりの事実関係をもっと詳しく調べろ」とか「何が言いたいのかさっぱりわからない」とか言われて、デスクに原稿を突き返されることが日常茶飯事でした。

そのときはカチンときても、言われてみればその通り、ということばかりでした。

少なくとも文章で物事を伝える場合、人の意見を聞くことなく上達することは、まずありません。特に文章力に根拠のない自信を持っている人は、独りよがりの文章を書きがちで、読む人の立場を考えていないことが多いものです。

まずは謙虚に、人の意見に耳を傾けることから始めましょう。

6. 何を取り、何を捨てるか

ビジネスパーソンが報告書など文章を書く上で、「編集」の仕事が参考になります。

「編集」の仕事は、出版業界以外の人には理解しにくい職種のようですが、雑誌や本の編集者は、企画を考えたり、作家やライターと打ち合わせをしたり、彼らが書き上げた原稿をチェックしたりします。誌面の構成を考えたり、資料をとりそろえたりすることもあります。自らが取材・執筆をすることもあります。

取材してきた事柄を雑誌に載せる場合、取材したことをすべて載せることはできません。スペースが限られていますし、重要でないことまで書く必要もないからです。

そこで求められるのは、どの事実を拾い、どの事実をそぎ落とすのか、という取捨選択の能力です。「重要なこと」と「重要でない」ことを判断する能力ともいえます。

この判断力は、駆け出しのライターや記者には、まだ備わっていません。いろいろなことを詰め込みすぎる原稿になってしまいます。結局、何を伝えたいのかわからない原稿になってしまうのです。

たとえば、一〇〇〇字程度のスペースに、テーマを三つも四つも盛り込んで書いてしまったりします。これでは、内容が散漫になり、何を言いたいのかわからない原稿になってしまうでしょう。

テレビ番組の場合も同様で、一時間の番組を作るには、何十時間分もの取材をして、それだけビデオテープに収録します。もちろん、それをすべて放映するわけではありません。取捨選択をして、編集し、取材したエッセンスを放送します。

この取捨選択が、重要な編集業務の一つなのです。

ライターや記者は、経験と実績を積んでいくと、何を採り、何を捨てるか、だんだんわかってくるようになってきます。それでも、「これも書きたい、あれも書きたい」という気持ちはなかなか捨て去りきれないものです。

そういうときはやはり、編集者などの他者に見てもらい、意見を聞くのがいちばんです。その結果、「ここは要らないんじゃないか」と言われることもあります。しかし、書いた当人は「そここそ伝えたいことだ」と思い、反論します。「見せなければよかった」と思うかも知れません。

この場合、では見てもらったことはマイナスだったのでしょうか。そんなことはありません。このやりとりの結果、よりよい方向へ向かうことが多いからです。

「そういうことなら、確かにこの話は興味深い。しかし、この文章では読み手の心に響かない。今、キミが話したことを、そのまま素直に書いてみたらどうだろうか」「結論部分で書いていることを冒頭に持ってきたらどうか」などと、助言されることもあるでしょう。

自分一人ですべてをやっていると、独りよがりの文章になってしまいがちです。それは、ライターや記者ばかりでなく、ビジネスパーソンも同じ。信頼できる上司や先輩の助言や指摘には謙虚に耳を傾けるべきでしょう。

7. プライドが高い人は成長しない

謙虚に人の意見に耳を傾けることは、とても重要なことです。

世の中には「自信家」といわれる人がいます。

「オレは頭がいい」

「私は優秀だ」

「オレの営業成績を抜けるヤツはいないさ」

「運動神経なら誰にも負けない」

……

自信家とは、こうした人たちです。


自信を持つことは、一面ではとてもよいことです。自信を喪失して、意気消沈していては、いい仕事ができるはずはないでしょう。

しかし、その自信が過剰になると、えてして傲岸不遜《ごうがんふそん》になり、他者から学ぶことを拒むようになります。

これは文章力や話術に関してもいえます。

「オレは文章がうまい」

「私は話すのが得意。交渉なら誰にも負けないわ」

自信があって、結構なことです。こうした自信を持っているのであれば、その自信は胸の内でひっそりと温めておく程度がよいでしょう。あなたが本当に文章がうまく、話し方が魅力的な人であっても、まだまだ伸びる余地はあるのですから。

「伝える力」に自信があってもなくても、最も大事なことは「聞く耳を持つ」ことです。

そして、他者の意見に「謙虚である」ことです。

イチロー選手は研究することをやめましたか？

「爆笑問題」は学びの手を緩めていますか？

いずれも「否」でしょう。

若いころ、私の知り合いに、自分が書く原稿に絶大な自信を持っている人たちがいました。デスクが修正を指示しても言うことを聞かなかったり、デスクが書き直した原稿を後で見直したりしていなかったのです。彼らのその後の人生を見ると、少なくとも「記事や原稿を書く」ことに関しては、成長があまり見られませんでした。

中央官庁のキャリア官僚と付き合うこともありましたが、「この人、なんでこんなにプライドが高くて、エラそうな話し方をするんだろう」という人は、いつしか姿を消していきました。

反対に、ざっくばらんな性格で、こちらの話をきちんと聞いてくれる人は、どんどん出世して、官僚のトップである事務次官にまで上り詰めたりしています。

三十数年間に及ぶジャーナリスト生活を振り返って、一つ明らかにいえるのは、よけいなプライドを持っている人は「そこまで」だということです。意味のないプライドが邪魔をして、成長できるせっかくのチャンスを自らみすみす逃してしまうのです。

実にもったいないことです。

8. 聞くは一時の恥、聞かぬは一生の恥

ビジネスパーソンはそもそも、話すことも書くことも、プロではありません。

話すほうなら、司会者やアナウンサー、落語家、漫才師などがプロでしょうし、書くほうなら、作家やエッセイスト、新聞記者、ルポライターなどがプロです。

話すのや書くのが得意であっても、ビジネスパーソンは少なくとも、その道のプロではないという自覚は持つべきでしょう。そうした姿勢を持っていたほうが結局は「伝える力」は伸びていきます。

それに、プロであっても、謙虚に学ぶ姿勢を持っていないと、成長はそこで止まってしまいます。それは、どこの世界でも同じことです。

まず「自分は何も知らない」ことを知り、他者から謙虚に学ぶことです。この姿勢さえ持ち続けていれば、コミュニケーション能力は確実に向上していきます。

特に若いときは、相手を怒らせたり、傷つけたり、誤解を与えたり……といった失敗を何度もすることでしょう。でもそのときに、自分の殻に閉じこもることなく、へこたれることなく、心を開き続けて、コミュニケーションをとり続けてほしいのです。そうすることで、「伝える力」はきっとどんどん伸びていくことでしょう。

また、若い人は特に、今のうちに「大いに恥をかく」ことです。

二十代の若手ビジネスパーソンはもちろん、場合によっては、三十代、四十代の中堅であっても、恥をかくことを恐れずに、わからないことは教えを請う気持ちで仕事に取り組むべきです。

「聞くは一時の恥、聞かぬは一生の恥」と言いますが、その通りですね。謙虚に教えを請《こ》うことで、新たな知識を吸収することができる上に、こうした人の好感度は間違いなくアップします。

ただし、なんでもかんでも人から聞こうとする態度は禁物。これでは、煙たがられるのがオチです。

当然、自分でできる努力は最大限した上で、わからないことは素直に聞いて教えを請う、という姿勢こそが大切です。

9.「よい聞き手」になるために

ビジネスパーソンの中でも営業担当には、「相手の話を聞く」姿勢が強く求められます。

商品の特長を並べ立てて、いかに優れたものか、一方的に話す営業マンがいますが、果たしてそれで業績は上がるでしょうか。

もちろん商品の特長を説明することも大切ですが、それよりまずは相手に話をしてもらって、その話をじっくり聞くことです。

相手が話をしたくなるような話題を振って、時に親身になり、時に感心し、時に大きくうなずいて、相手に気持ちよく話してもらうのです。

人は自分の話を聞いてもらうと、存外うれしいものです。まして初めて会った人が自分の話を熱心に聞いてくれると、感動すら覚えたりします。自分の話を聞いてくれる相手には当然、親しみを持つし、好感度も増します。

お客は、商品を選ぶのではなく、商品を売りに来たセールスパーソンを選んでいるのです。

営業担当としては、相手が話していることを聞いていれば、相手が何を求めているかがわかります。「だったら、こんな商品はいかがですか」という商品の提案もできるようになるでしょう。

常に「おかげさま」の気持ちを持って、陰口や悪口は慎み、相手の話をじっくり聞く姿勢を持つ。

そうすることで、好感度や信頼はずいぶん高まるし、「伝える力」にもいっそう磨きがかかることでしょう。

10. V6井ノ原さんとTOKIO国分さんの人気の秘密

好感度といえば、思い出す人たちがいます。

タレントで、V6の井ノ原快彦さんとTOKIOの国分太一さんです。

「R30」というTBSのテレビ番組（関東地方のみ放送）に出たときのことです。

私をゲストにして、二人が聞き手役です。

一時間ほど、かなり一方的に話してしまいましたが、疲れるどころか、たいそう心地よかったのです。

収録後、どうしてあれほど気持ちよく話せたか考えてみると、彼らが私をうまく乗せてくれたからだと気がつきました。

「へぇー」はもちろん、

「それ、おもしろいですね」

「スゴイですね、それは」

「それは知らなかった」

「それで、どうなったんですか?」

「ぼくにも教えてくださいよ」

などの反応がポンポン返ってきたのですから。

しかも、時に身振り手振りを交え、身を乗り出しつつ、目を輝かせて聞いてくれます。

これなら、誰だって気持ちよく話してしまいます。

彼らの好感度が高いのもむべなるかな。これならモテるはずだと合点がいきました。

11. 自分のことばかり話さない

同窓会に行ったときのことです。

一方は高校の同窓会、もう一方は大学です。

このとき、おもしろい体験をしました。


まず高校の同窓会です。

この同窓会には、女性も大勢来ていました。

「あらー、久しぶり」

「元気にしてる？」

このあたりは、旧友との再会であれば、どの集まりも似たり寄ったり。でも、この後がいただけない。

「私、最近、○×□なの。それで△□でね……」

と延々と続きます。

最初のうちこそ、興味を持って聞いていますが、ずっと聞かされていると、さすがにウンザリしてきます。一方的に話を聞かされるのですから、当然です。

一方の大学の同窓会に出たときには、みんな見事な対応をするなと感心しました。

自分の近況を報告するだけではありません。ほかの人にも声をかけ、近況をしっかり聞き出しています。

聞くときには、興味津々の様子で、大きくうなずいたり、首をひねったり、さらには手を打ったり。

みんな、自分が話すことと人の話を聞くことのバランスがとれているのです。あっという間に時間が経ちました。

この二つの同窓会は、なぜこれほど違った雰囲気だったのでしょうか。

一方は高校の同窓会で、もう一方は大学の同窓会だから？　高校生のころのほうが若いころの仲間だから、ついつい気が緩んで、自分のことばかり話してしまう。一種の馴れ合いがあったから？

……うーん、大きな原因には、とても思えません。

自分の話ばかりを延々とする人は、会社勤めをしていなかったり、その経験がほとんどなかったりした人たちだったのです。「社会性に欠けている」とは、こういうことを言うのかと思ったものです。

もちろん個人差もありますし、一概に言えることではありませんが、その違いがコミュニケーションのとり方の差になって現われたような気がするのです。

ビジネスパーソンでも、自分のことばかり話す人はいます。

そういう人のコミュニケーション能力は高いといえるでしょうか？　社内外の人とうまくコミュニケーションがとれているでしょうか？

「おもしろい話ができる」「話がうまい」というのも才能の一つです。ビジネスパーソンにとって、大きな武器になるでしょう。

しかし、それだけで円滑なコミュニケーションをとれるわけではありません。

「人の話にきちんと耳を傾けることができる」のも、ビジネスパーソンに求められる資質の一つです。これをおろそかにする人に、よい仕事はできないと思うのです。

12. 相手の「へぇー」を増やす

自分の「伝える力」が高まったという手応えは、どうしたら得られるのでしょうか？

まず相手の反応を見ることです。

表情が変わらなかったり、つまらなそうな顔をしていたりしたら、相手はあなたの話にさほど興味を持っていないことになります。

反対に、あなたの話に興味を持つと、大概の人は「へぇー」という感嘆の言葉を発するものです。相手のこの「へぇー」は、一つのバロメーターです。

会議で発表したり、取引先に新製品をプレゼンテーションしたりするとき、聞き手がどこで反応するか、注意して見ていましょう。

自分がおもしろいと思っていたところで、「へぇー」という反応が起こることもあるでしょうし、予想外のところで好意的な反応が出ることもあるでしょう。

自分の予想外のところで受けたときは、自分のプレゼンテーションがなぜうまくいったのか、後で確認しておきましょう。その秘密がわかれば、次の発表でも、その手法を使うことができるはずです。

企画やプレゼンテーションの類ではなく、日常の会話でも、相手がどんなときに「へぇー」という反応を見せたか、注意して見ていましょう。そのときの内容を覚えておいて、別の人に話すときには、その部分をキーワードにしてみようなどと考えることもできます。

この「へぇー」を増やすには、まず自分自身が「へぇー」と思うことも大切ですね。自分がおもしろいと思わないことを他人に伝えても、普通は、他人もおもしろいとは思わないからです。そのためにも、おもしろいところを自分なりに探してみましょう。おもしろいところを探そうと努力することが、結局は自己のプレゼンテーション能力を高めることにつながります。

第2章

相手を惹《ひ》きつける

13. (1)映画や連載記事に学ぶ〝つかみ〟方

映画の「007」シリーズをご覧になったことはありますか?

映画の冒頭、まず目に飛び込んでくるのは、007であるジェームズ・ボンドがどこかに爆弾を仕掛けたり、誰かを暗殺したりするといった場面。ボンドは敵に見つかり、逃げる、追いかけるというアクションが展開されます。お約束(?)の銃撃戦も繰り広げられて、観ているこちらはハラハラドキドキ。

「何だろう、何が始まるんだろう」という感じです。

そうこうしているうちに、タイトルが出てきて、ジェームズ・ボンドはロンドンの英国情報部に呼び出され、任務を与えられます。そこには、国際情勢の難しい話が背景にあります。たとえば、ボスポラス海峡の石油輸送を巡る攻防やモンテネグロでのテロリストの動きなどが描かれます。

ややこしくて、難解な話です。丁寧に描かないと、観客はわかりません。

でも、導入部で画面に惹きつけられていますから、観客の興味はつながれたまま。この国際問題が背景にあって、暗殺や爆破事件が行なわれたんだ、次に何が起きるんだろう?

と、観る側は興味津々。アクションに謎解きの楽しさが加わって、惹き込まれていきます。うまいな、と思います。

何がかというと、〝つかみ〟がです。

これがもし、国際情勢の難しい話から始まっていたら、観客は興味をそそられないでしょう。「なんか難しそうな映画だな」と、そっぽを向かれてしまうのがオチです。

映画は基本的に娯楽作品ですから、当然といえば当然。

つかみが大切なのは、何も映画に限ったことではありません。

たとえば、新聞の連載記事。

「村上世彰代表、逮捕」や「サッカー・ワールドカップ　イタリアが優勝！」などの大きなニュースは、誰もが関心があるから、記事に特別な工夫をしなくても多くの人が読んでくれます。

しかし、切り口が問われる連載記事はそうはいきません。読んでもらうための〝仕掛け〟が必要になります。

そこで大きな力を発揮するのが、つかみ。文字通り、導入部で読者をつかまないといけない。

注意して読むとわかりますが、こうした連載記事は、出だしを「○×……」と会話文から始めていたり、「□▽さんは驚いた」などというフレーズで始めていたりします。読者の興味を喚起するため、いろいろ工夫をしているのです。

つかみを研究するには、テレビドラマも参考になります。

導入部はもちろん、コマーシャルのときにも、チャンネルを変えられないように、あの手この手で工夫しています。

「ナニナニ、次はどうなるの？」という思いを視聴者に抱かせるようにしているのがよくわかります。

こうした映画や連載記事、テレビドラマを、自分の「話し方」や「書き方」を向上させるテキストとして意識しつつ観たり読んだりして分析すると、違った見え方があるものです。

14. (2)景気が回復したのは小泉内閣のおかげです？

あなたがもし、大勢の人の前で話をしなければならなくなったとしましょう。ここでも、つかみは威力を発揮します。

たとえば、「日本経済」について私が講演したときのことです。壇上に上がって開口一番、「日本経済が回復しつつあります。どうしてでしょうか？　それは、小泉内閣のおかげなんです」と始めました。

すると、皆さん「エッ⁉」という反応を示します。「何コイツ、小泉内閣の回し者か」と。

小泉内閣の人が言うならともかく、ジャーナリストなのにどうしてそんなことを言うんだろう？　と驚き、あきれたような顔をする。

これが、私にとってはつかみです。

「どうして小泉内閣のおかげかというと、小泉さんは日本経済の回復のために何もしてくれなかったからです」

ここで、会場から笑いが起こります。

小泉さんに何かを頼んでも何もしてくれないことがわかった。従来の政治手法だと、企業は政治に対して、公共事業を増やして景気対策をとるように働きかけます。政府はこれを受けて、国債を発行し、国の借金をさらに増やして公共事業に資金を投入します。ところが、小泉内閣は、こういうことを一切やらなかったのです。

そうなると、当初は政府に期待していた人たちも諦め、企業は、自力で立て直しをはかるしかありませんでした。血のにじむような苦しいリストラをして、なんとか立ち直ってきた。そうしたことをやってきた結果、今、日本経済は回復しつつある。

まさに小泉さんのおかげじゃないですか、と言うと、最初に「小泉さんのおかげで日本経済が回復した」と私が言った真意が伝わります。

もちろんこれは皮肉を言ったわけですが、聞いてくれている人としては、「いきなりこんな話をするのだから、この池上という男、何かおもしろいことを言いそうだな。期待できるかもしれない。じゃあ聞いてやろうか」となります。この後は、熱心に話を聞いてくれます。

私としては、作戦成功なわけです。

講演では、「週刊こどもニュース」での失敗談から始めることもあります。生放送中に、出演している子どもから思わぬ質問を受けて絶句したエピソードなどです。

他人の失敗談はおもしろいものです。他人の自慢話は、しゃべっている本人は楽しくても、聞いているほうはしらけます。でも、失敗談はおもしろがってくれるのですね。おもしろがるだけでなく、「この人は、自慢話をするのではなく、率直に自分の失敗を語れるなんて、ざっくばらんな人ね」と好感度がアップするのです。おっと、思わず自慢話をしてしまいましたね。

15. (3)「元次期大統領のゴアです」

私が最近「これはうまい！」と思わずうなったのは、アメリカのゴア元副大統領の挨拶です。

環境問題を訴える映画『不都合な真実』を作ったゴアさんが、その映画のプレゼンターとして登壇。その第一声で、

「元次期大統領のゴアです」

と言うのです。

「元次期大統領」。一見すると、意味不明ですが、これはアメリカ人全員にわかる名文句です。

二〇〇〇年の大統領選挙で、ゴアさんがブッシュさんと争ったとき、テレビの開票速報で、いったんは「ゴア候補が次期大統領に当選」と報じられたのに、フロリダ州での開票の結果、ブッシュ候補の当選が決まって、大統領になれなかった。そのことを自虐的に表現したわけです。

会場には、ドッと笑いが沸き起こる。見事なつかみです。

では、逆につかみが弱い伝え方とはどんなものでしょうか。あなたが小学生のころを思い出してください。たとえば遠足について、次のように書きませんでしたか。

朝起きたら、晴れていてうれしかったです。顔を洗って、ごはんを食べました。リュックサックを背負って、バスに乗って、〇△山へ行きました。大きなヘビがいてびっくりしました。

子どものころはこのように、時系列に沿って描写しがちです。子どもならこれでも構いませんが、大人はそうはいきません。

この場合なら、出だしをたとえば、

草むらを分け入って進んでいたときのことでした。突然、大きなヘビに出くわしました。これまで見たこともないような大きなヘビ！　ギョッとして、思わず後ずさりしてしまいました。

と書く。

すると、「何というヘビなんだ？　彼らは無事だったのか？　ヘビはどうなったんだ？」と、ついつい惹き込まれてしまいます。

それからおもむろに、この〝事件〟が遠足に行ったときのことだったと書くのです。

同じことを書いたり話したりするにしても、わざと反対のことを言ったり、意外な話から始めたり、時系列を逆転させたりと、相手が興味を持ってくれる方法を考えましょう。

それで、相手の心をつかむ。

これができれば、文章にしても、プレゼンテーションにしても、第一段階は突破できたも同然です。

16. (4)一〇秒あれば、かなりのことを言える

私がキャスターを担当したのは、NHKの首都圏向けニュース番組の「ニュースセンター845」(夜八時四五分から十五分間の放送)が初めてです。一九八九年のことでした。

それまでは、NHKの記者として取材し、原稿を書く仕事をしていましたから、カメラの前で話をする仕事は大変な試練でした。

最初のころは緊張しっぱなしで、「こんばんは。ニュースセンター845です」という挨拶すら、原稿に書いて、読んでいました。そのセリフすら、言えるかどうか、自信がなかったのです。

翌九〇年からは、「イブニングネットワーク首都圏」(夕方六時からの一時間番組)も併せて担当するようになりました。この番組を経験したことで、私は秒単位の時間感覚が身につきました。

「イブニングネットワーク首都圏」もニュース番組でしたから、もちろん生放送。番組の最後のほうで、次の番組につなげるために、いつも数秒から二〇秒ほどの時間をクッションとしてとっておきます。

この間、私はもう一人のキャスターとともにこの時間を持たせなくてはいけません。最初のころは、秒単位の時間がさっぱりわかりませんでした。スタジオの中に時計があって、その時計は常に視界の一部に入っています。「あと何秒」というのはそれでわかるのですが、感覚としてはピンと来なかったのです。

秒針を見て、「あと一〇秒しかない。何も言えない」と思っても、一〇秒あると、かなりのことが言えることをこのとき初めて知りました。逆に、一〇秒間何も言わないでいると、これがまた長いのです。視聴者は何か起きたのかと思って、心配になったり、不思議に思ったり、イライラしたりするでしょう。

三〇秒もあれば、相当なことが言えます。起承転結まで含めた、ちょっとしたストーリーまで話せることに気づいたのです。オチを入れることも可能です。

ただしもちろん、一つのテーマが精一杯です。

たとえば、プレゼンテーションで与えられた時間が三分や五分、あるいは一五分ぐらいあっても、同様に、話すテーマは一つで充分です。

一〇分や一五分ぐらいあると、二つ、三つのことを話したくなりがちですが、これですと、消化しきれずに散漫になってしまいます。

一〇秒あれば、かなりのことが言える。三〇秒あれば、起承転結を含めた話もできる。しかし、一五分ぐらいまでは、一つのテーマに絞って話をしたほうがよいというのが、私の実感です。

17. (5)「型を崩す」のは型があってこそ

結婚式の仲人を頼まれたときのことです。新郎新婦を紹介する段になりました。

一般的には「〇△君は中高生時代から非常に優秀で、▽□大学に合格。現在も社内での成績が抜群で、社内の人望は厚く……」などと言って、褒めちぎるものです。

私の挨拶でも、聞いている人は、「どうせまた、大袈裟な褒め言葉が始まるんだろう」と思い込んでいます。そこで、ちょっと〝期待〟を裏切ることにしました。

「えー、〇△君は□△高校を非常に優秀な成績で卒業し、これまた優秀な成績で……、

▽×予備校に入学されました」

と。

「これまた優秀な成績で……」と来れば、大学の名前が出てくるはずだと考えます。そこに予備校の名前が登場するので、意外感があるのです。しかも、予備校に入ったということは、大学に落ちたわけですから、ここで「これまた優秀な成績で」というのが、なんの意味もないのです。「優秀な成績で」というのは、普通はとてもいいことなのですが、それが意味なかったことになるわけですから、ここでも意外感。会場は大笑いです。

「この仲人、なんかおもしろいぞ」と思ってもらえたようです。まずは、つかみに成功です。

私は新郎とは親しくしていて、打ち合わせも事前にしっかりしていました。だからこそ、結婚披露宴というおめでたい席でも、新郎を適度に茶化すのは問題なかったのです。しかも、事前に茶化すことを新郎新婦共に伝えて、心の準備をしてもらっておきました。

このとき、新郎と新婦には、かなりの年齢差がありました。新郎のほうが年上です。そこで私。

「実は私、今回、仲人というものを初めてやります。仲人という立場だと、挨拶をしなくてはいけません。

そこで、仲人はどんな挨拶をすべきか、書店に行って、『仲人挨拶集』という本を読んでみたんですね。いろいろなケースに即した挨拶が載っていました。中には『新郎が年を食っている場合』なんていうのもありました」

ここでも笑いをとれましたが、これで終わってしまってはいけません。「新郎がここまで独身を通してきたのは、女性に対する理想が高かったから。その高い理想に適《かな》う新婦に出会えたからこそ、結婚することになったのです」というフォローをします。こうすると、聞いている人には、「新郎を茶化しながら新婦を褒めているんだな」という真意が伝わりますから、笑いの後味は悪くならないのです。

結婚式の挨拶では、私のように会場の笑いをとろうとする人が出てきます。とりわけ、新郎や新婦の友人挨拶では、それを狙った人が登場します。しかし、それも程度問題です。たとえば、新郎の学生時代の友人が挨拶に立って、かつての新郎の女性関係を暴露したり、「もう昔のことだから」と断わったとしても、「一緒に万引きまでしたのに、今ではこんなに立派になって」と言ってみたり。

これが非常識で顰蹙《ひんしゅく》を買うだけであることは、自明のことですね。

さらに、新郎のことを適度に〝いじる〟のはいいにしても、新婦のことは、たとえ冗談でもけなすのはタブーです。結婚式は、男性が思う以上に、女性にとっては晴れの舞台ですから。

私とラジオの番組を一緒に担当している女性アナウンサーが結婚し、披露パーティーで挨拶を頼まれたときのこと。お相手の男性も、ラジオのパーソナリティーでした。そこで私は、こう言いました。

「新婦と初めて会ったとき、ラジオのアナウンサーで顔は聴取者に見えないのに、なんて美人なんだろうと思ったのですが、きょう新郎に初めてお会いして、なるほど、ラジオ向きだなあと思いました」

これが逆だと、洒落にならないのです。新郎にしても、要するに「新婦は美人だね」と言っていることがわかってもらえますから、屈折した褒め言葉になっているのですね。まあ、こういう挨拶は、放送業界の人に対してだから言える、というものかも知れませんが。

物事には「型」というものがあります。「型を崩す」のは、あくまで型があって初めてできることです。

しかもその型には、守らなければならない最低限のものもあります。

結婚披露宴の例でいえば、新婦を揶揄《やゆ》してはいけない、新郎のことは少しからかったとしても、女性関係を暴露したり、家庭のことを批判したりするのはタブー、といった具合です。

そして、何より好意と愛情を持って話すことが大前提ですね。愛のないからかいや揶揄は、とげとげしいだけ。

こうした配慮は「場の空気を読む」という行為です。仲間うちのくだけたパーティーと、会社の上司がズラリと並んだ式では、話し方が異なるのはもちろんのことです。

18. (6)言うべきか、言わざるべきか

結婚式の挨拶では、危ない思いをしたこともあります。

結婚式では、今や定番の挨拶になった「三つの袋を大切に」という話。これは、知る人ぞ知る、有名な話。

この三つの「袋」には堪忍袋、給料袋、お袋、知恵袋、胃袋、手袋など、さまざまなバリエーションがあります。

「夫婦の間でも、いろいろなことが起こります。そんなときも、グッと我慢をして、堪忍袋を破らないように。

それから、なんと言っても、健康は大事。奥さんの作ったおいしい手料理をたくさん食べるのもいいけれど、食べすぎは禁物です。胃袋はくれぐれも大切に。

そして、ご両親を大切に。お二人をここまで育ててくださったのですから。とりわけ、お袋を大切にしてください」

こんなふうに使って、挨拶します。

「初めて考えた人はうまいな」と思います。

でも今では、手あかがつきすぎて、陳腐になってしまいました。聞いているほうは「また、あの話かよ」という思いを抱いてしまうのです。

フトそんなことが頭をよぎった私は、「『三つの袋を大切に』という話がよく言われますが、今日のお二人に、そんなことを言う必要はないでしょう」という言葉がのど元まで出かけました。

しかし、たまたまタイミングを逸し、これは言わないでおきました。

すると、その後。なんと、まさにその話をする人が現われたのです。

「えー、今日の佳き日、若いお二人に『三つの袋を大切に』という話を紹介しようと思います。『三つの袋』の一つ目は……」

ギョッとしました。

冷や汗が出るというのは、こういうことですね。

「まさか今日に限って、そんなありきたりな挨拶をされる方はいらっしゃらないでしょう」なんて、ウケを狙って言ってでもいたら、その人の顔をつぶすところでした。

受け狙いは、見事に決まればいいのですが、リスクも大きいのです。まさにハイリスク・ハイリターンです。

19. (7)会議では一人一人の目を見ながら話す

会議では、どのように発言するのが望ましいでしょうか。たとえば、企画を提案する場面を考えてみてください。

いちばんよくないのは、自信がなさそうな態度をとることです。声が小さく、オドオド、あるいはモジモジしながら発表するようでは、たとえ中身が優れていても、聞いている人は心を動かされません。

まず大切なのは自信を持つこと。そして、出席者の顔をしっかり見ることとです。その場合は、まずはキーマン、たとえば部長なら部長の顔を見て、それから徐々に視線を移していき、一人一人の顔を見つめつつ、語りかけるように話していきます。

出席者の顔を見渡すのですから、当然、書面に目を落としてばかりはいられません。むしろ書面を見るのは、内容を確認したり、話している内容が書面のどこに書いてあるか説明したりするときぐらいにとどめたいものです。

こうしたことができるようになるためには、提案する企画の内容をしっかりと自分のものにしておく必要があります。会議の直前に急ごしらえでまとめ上げるようでは、とても無理です。

ということは、事前の準備が重要になります。

つまり、企画をプレゼンテーションする行為は、企画を考える段階からすでに始まっているのです。会議でだけうまく発表しようと思っても、どだい無理なのです。

自信を持って発表するには、企画自体をしっかり練って自分のものにしておくことが大前提。それができたら、臆《おく》することなく、一人一人の目をしっかり見て、自信を持って発表することです。

第3章

円滑にコミュニケーションする

20. (1)「爆笑問題」の危機管理

人に話をするときに、つかみと同じくらい大切なのが、危機管理の意識を持つことです。

皆さんご存じの「爆笑問題」。

彼らのやりとりは、太田光さんがボケをかまし、田中裕二さんがツッコミを入れる。このスタイルが特徴です。

実は彼らのこのボケとツッコミは、立派な危機管理にもなっているのです。

あるテレビ番組で彼らとご一緒したとき、こんなことがありました。

太田さんがタレントをからかうコーナーがあり、そこで映画化されるリリー・フランキーさんの『東京タワー』の話題になりました。

この役は何とかさん、これは何とかさん、と話が進んでいって、最後に、

「なお、東京タワーの役は和田アキ子さんです」

と太田さんが言ったのです。これはウケました。

そのときすかさず、横にいた田中さんが

「おまえ、アッコさん、この番組を見てるんだぞ」

とツッコミを入れました。

このひと言が、彼らの危機管理です。

どういうことか。和田さんは芸能界の大御所。彼女を揶揄したとなると、大きな問題になるかもしれない。それは回避しなければならない。そこで、田中さんがひと言を付け加えたのです。

一見、言わずもがなのツッコミです。でも、このひと言を言うことで、「オイオイ太田、そういうことを言ってはいけないんだぞ。和田さん、すみません。失礼しました」というニュアンスが出るのがおわかりでしょう。

ツッコミがエクスキューズ、つまり言い訳にもなっている。

実に高度で見事な危機管理です。

21. (2)その言葉に〝愛情〟はあるか

失礼なことを言ったり、悪口を言ったりするけれど、なぜか大きな問題にならずに、逆に好感を持たれる人がいます。
一方では、口が悪いままに、嫌われてしまう人も大勢います。
この違いはどこにあるのでしょうか？

それは、ひと言でいえば、愛情の差ではないかと、私は思っています。愛情がないと、強いことやキツイことはなかなか言えません。愛情がないのに、強いことやキツイことを言うと、相手の心を傷つけてしまうだけでなく、反感や恨みを買ってしまうことにもなるでしょう。

ＮＨＫで「週刊こどもニュース」を担当していたころ、私はスタッフの若い連中をよくからかったり、けなしたりしていたものです。反感を持たれていたかも知れません。でも、自分で言うのもなんですが、自分がボロクソに言っていたにしては、彼らからそれほど反感を持たれていなかったという思いがあります。私が彼らに愛情を持っていたからです。

たまに面と向かって真面目に褒めると、その意外感から、相手が感激してくれるという意外な副産物もありました。

相手に対する愛情が根底にあるかどうか、そして、互いの信頼関係が築かれているかどうかで、表面上は同じ言葉であっても、相手に与える印象は大きく異なるものです。

22. (3)綾小路さんや毒蝮さんの毒舌が受け入れられるわけ

芸能人の中には、毒舌で売る人が大勢います。ビートたけしさんや綾小路きみまろさん、毒蝮三太夫さん。いずれも人後に落ちない〝毒舌家〟といっていいでしょう。

でも、彼らは人に嫌われているでしょうか？　彼らの毒舌を聞いて、気分を害する人がいるでしょうか？

もちろん、なかにはいるかも知れないし、時と場合によっては「それは言いすぎだよ」と思うこともあるかも知れません。

しかし多くの人は、あるいは多くの場合は、彼らの毒舌によってイヤな気持ちになることはないのではないでしょうか。

たとえば、綾小路さんが「失敗は、顔だけで十分です」とか「きれいな方ばっかり……首から下が」とかと言っても、言われている人たちは、大笑いします。怒り出す人は誰もいません。

なぜか。一つには、綾小路さんから滲み出る人柄が伝わるからだと思うのです。

さらにいえば、「あなたのことが好きですよ」という思いが聴衆なり視聴者なりに伝わるからでしょう。

これがもし普通の会話で発せられたら、大問題になりかねません。

職場で女子社員に向かって、「キミ、失敗は顔だけで十分だよ」なんて言ったら、それこそセクハラです。

毒蝮さんの毒舌ぶりもかなりのものです。公開ラジオ番組で、年配の人に向かって、「汚ねェババアだな」とか「くたばりぞこない」とか、これでもかという毒舌を投げかけます。

ところが、言われた当人は怒るどころか大喜び。周りにいる人も一緒に笑っています。

毒蝮さんの場合もやはり、背後には愛情があって、それが言われた人も周りもわかるのでしょう。

それに加えて、こうした人たちは有名人であることがプラスに働いています。逆にいうと、一般の人はこの点を差し引いて考えないといけない。

「あのテレビに出ているきみまろさんが、私をからかってくれた」「ラジオでいつも毒舌を吐いているまむしさんが、私のところに来てくれた」といった思いが言われた人にはあるのです。

ここはしっかり認識する必要があるでしょう。有名人でもないビジネスパーソンが、「あのように過激なことを言えば、相手は心を開いてくれるのか！」などと思うのは、勘違い以外の何物でもないのです。

一般の人が買い物に訪れた店先で「この汚ねェババア。くたばりぞこないのくせしやがって」なんて言おうものなら、それこそ大変なことになります。「でも、ありがとね」などとフォローしたところで収まるものではありません。そこが毒蝮さんとの大きな違いです。

安易なマネはくれぐれも慎まれますように。

23. ⑷「村上世彰発言」の問題点

芸能人に限らず、歯に衣着せぬ発言をして人気者になったり、好感度が高まったりする人は少なくありません。「もの言う株主」の村上世彰さんも、ある時期まではその一人だったかも知れません。

しかし、彼の好感度が一気に崩れてしまうことが起きました。次の発言がきっかけだったように思います。

「証券取引市場のプロ中のプロを自任する私が、万一でも法を犯していいのか。プロ中のプロとして認識が甘かった」

村上さんは、証券取引法違反（インサイダー取引）をした容疑で逮捕される数時間前、記者会見の席でこう言い放ちました。二〇〇六年六月のことです。

私には、村上さんのこの記者会見と、山一証券の最後の社長・野沢正平さんの記者会見が重なって見えました。

野沢さんは、「私らが悪いのであって、社員が悪いのではありません」と言ったところで感極まり、泣き出してしまいましたが、村上さんも悪いのは自分だという言い方をしていたからです。

野沢さんの記者会見は、海外からはずいぶん批判されました。「会社のトップが、あのような感情的な反応をしてはいけない。涙を見せるのは経営者として失格だ」と。しかし、国内では同情の声が高まって、元社員の再就職を後押ししたと言われています。

野沢さんの会見を見ていると、彼は意図的にあのような態度をとったわけではないことがよくわかります。彼の人間的な魅力を感じさせます。ところが、村上さんの発言からは、世論操作の意図を感じてしまったのです。自分一人を悪者にして、好感度を高めよう、同情を集めようとしている印象を受けました。

自分一人だけが悪者になれば、部下を守ることができ、ひいては村上ファンドを存続させられる。

彼が「悪いのは自分」と言った背景には、そうしたしたたかな計算もあったでしょう。

また、検察から「あなた、（インサイダー情報を）聞いちゃったんでしょ」と問われて、「聞いちゃったんですよね」と答えたのは、犯意はなかったことを強調したかったからでしょう。

「悪いといえば、それは形式的には悪いことでしょうから、お縄は甘んじて受けます。でも、自分はそんなに悪いことをしたつもりはありませんよ」と。

要は、こう言っているのですね。

彼の〝世論操作〟は、途中までは成功しているかに見えました。

でも、計算した言動をとっている、本心から反省しているわけではない、ということが見えてしまったため、失敗したのです。

ですから、会見が続いているうちに、思わず「皆さんがぼくのことがすごい嫌いになったのは、むちゃくちゃ儲けたからですよ。二〇〇〇億（円）くらい儲けたんではないでしょうか」などという発言が口をついて出たと思うのです。

この発言で、彼の好感度は決定的に崩れ落ちました。

「そうだよな。もの言う株主として時代を切り開いていた部分もある。たまたま意図せずに法に触れてしまったけれど、悪いことをしようと思っていたわけではない。そんなに叩いたらかわいそうじゃないか」という空気が、ここで一気にしぼんでしまったのです。

24. (5)成功して好かれる人、成功して嫌われる人

日本にはいわば「けしからん罪」が存在しています。

それは、法律には違反していないけれど、何かけしからんよね、という多くの人たちの気持ちであり、感覚、空気です。

村上さんは「むちゃくちゃ儲けましたよ」と言ったことで、この「けしからん罪」に該当してしまった。さらにいえば、その中の「濡れ手に粟罪」です。「濡れ手に粟でボロもうけしていて、けしからん」というわけです。

これは理屈ではなく、庶民感情です。

たとえ法律に違反していなくても、なんとなくけしからんと思った行為や人は糾弾されてしまう。そうした風潮が日本にはあります。

村上さんは「けしからん罪」に問われないためにどうすべきだったのか？　それどころか、好感度を上げつつあった前半の流れを受けて、いっそう好感度を高めるにはどうすべきだったのか？

たとえば次のように言えばよかったと、私は思っています。

「私は皆さんの大切なお金を預かって、それを増やす仕事をしています。そして、その過程では有意義な投資をして、それによって、日本経済をよくするお手伝いもしています。資本をうまく活用することで、活力を失っている会社を立て直す力添えも、微力ながらしてきたと自負していますし、これからもしていきたいと思っています」

まずは、自分の会社の社会的存在価値を理解してもらうことでした。

その上で、たとえば、

「一部、法を踏み外した点があったことは真摯《しんし》に受け止めて、反省しています。二度とこうしたことがないようにしていきます。そのためにも、経営者としての責任をとり、私はファンドの代表を辞任しました」

などと、自分の非を認めた上で、自分が責任をとることを表明すれば、記者たちは、それ以上、突っ込みにくいものなのです。

アメリカなら、村上さんがこうした態度をとる必要はないでしょう。アメリカは「儲けた人が偉い社会」だからです。

「むちゃくちゃ儲けました」と言ったら、よくやったと拍手喝采を浴びるような社会です。

でも、日本は違う。大儲けしている人がいたら、日本人は大方、二通りの反応を示します。

一つは「うらやましい」。

これは、自分もそうなりたいという気持ちが背後にあって、さらには「がんばろう」という姿勢にもつながるから、ある意味、健全です。

問題はもう一つの反応。それは、「ずるい」です。

「なんだ、アイツばかり儲けて、いい思いをして、ずるいじゃないか」。そう思って、その人の足を引っ張ろうとする。

これは、言ってみれば嫉妬です。

これは決してよい反応とは思いません。私はこういう態度は大嫌いですが、でも、多くの日本人が多かれ少なかれ持っている感覚です。

「嫉妬社会」の側面を持つ日本では、たとえすべてがうまくいっていても、それを声を大にして言うのは慎むのが賢明でしょう。

同じように、業績が秀でていたり、事業が成功したりしても、愛される人と疎《うと》まれる人がいます。

この違いは、謙虚さの有無、あるいはその程度の差にあるように思います。

愛される人は、たとえ血の滲むような努力をした結果、成功を収めたとしても、「皆さまのおかげで、ここまで伸びることができました」と、謙虚な姿勢や雰囲気を持っているものです。

一方、疎まれる人は「オレの才覚で、ここまできたんだ。どうだ、スゴイだろう」という雰囲気がそこかしこから漂う人です。

人間は社会的な動物。大成功を収めた背景には、多くの人々の協力があったはずです。社会の一員である以上、「おかげさま」の精神は必要なのです。

25. ⑹悪口は面と向かって言えるレベルで

たとえ自分の能力や努力によるところが大きいと思っても、それを口に出してしまうと、世間の反感を買ってしまう。本音はそうであっても、時と場合によっては、建前とのバランスが大切になる場面があるものです。

特に記者会見などの公的な場では、そうしたことへの配慮が必要なのです。その意味で言うと、村上さんは記者会見で本音を言いすぎたのかもしれません。

反対に、建前だけの話ほどつまらないものはありません。たとえば、官僚の記者会見。これは徹頭徹尾、建前で、隙がない。「そう言うのはわかるけど、本音は違うんでしょ」とツッコミを入れたくなるのもしばしばです。

建前を中心に話をせざるを得ない場合は、本音を少し差し挟んで話すと、好感度は往々にして上がります。フォーマルな席で、少しカジュアルな雰囲気が出ると、聞いている側はその人の人間性を垣間見ることができ、親しみを持てるようになるからです。

好感度といえば、陰口を言わないこともとても大切です。

たとえば何人かが集まって話をしているとします。そのとき、誰か一人がトイレに立った。すると、話題がその人のことになって、場合によっては、悪口を言ったりします。

そうした場合、私は話題の主が戻ってきたときに、「実は今、おまえがいない間に、おまえの悪口を話していたんだぞ」とわざと暴露します。本人がいないところで言う悪口は陰口になるからです。

「きついな」と本人にも悪口を言った人にも言われることがありますが、悪口を言ったことを本人に伝えることで、その人との間にある種の信頼感が生まれるのも事実です。

逆の見方をすると、悪口は本人に面と向かって言えるレベルにとどめるべきなのです。

いちばん望ましいのは悪口の類をいっさい言わないことですが、人間だから、腹の立つことも、不満を募らせることもある。聖人君子でもない限り、人の悪口をいっさい言わないのは無理かも知れない。

そこで、現実的な線引きとして、悪口を言う場合は、面と向かって言えるレベルにとどめる。

そうすることで、人としての最低限の品位は保つことができるし、人との信頼関係も築くことができるようになるはずです。

26. (7)叱るのは「一対一」が大原則

上司や先輩の立場になると、部下や後輩を叱らなければならない場面が出てくるものです。褒めるときも、当然出てきます。どのように叱り、どう褒めればいいのでしょうか。

まずは叱るとき。

大原則は、一対一で叱ることです。

叱る際には、それなりの理由があります。凡ミスをしたとか、やる気が見られないとか、取引先に迷惑をかけたとか。叱る一番の目的は、その状況を指摘し、改善させることです。ということは、本人に自覚を促せば事足りること。わざわざほかの人がいる前で叱りつける必要はありません。

ほかの人がいるところで叱ると、叱られているほうは恥をかかされている意識が先に立って、注意している内容には意識が向かない可能性があります。

それだけでなく、恨みを買うことにもなり、その部下や後輩はもはやあなたに心を開かなくなるかもしれません。

ただ、状況によっては、ある一人をほかの人がいるところで叱ることが効果的なこともありうるでしょう。

たとえば、部内で同じようなミスが頻発していたとします。AさんもBさんもCさんも、何度かそのミスを繰り返していた。

そうした状況のときには、その部でいちばん仕事のできるAさんを呼びつけて、みんながいる前でそのミスを指摘し、叱ることで、BさんやCさん、その他の人たちにも注意を促すという方法もあるでしょう。

巨人軍をV9に導いた元監督の川上哲治さんは、新人選手を叱咤激励するときには、当時スター選手だった長嶋茂雄さんを大きな声で叱りつけたそうです。そうすることで、チーム全体を鼓舞しようとしたのでしょう。

でも、こうしたやり方は高等テクニックと考えるべきです。川上さんと長嶋さんの例をいえば、二人には厚い信頼関係があったからこそ、できたことでもあります。もし皆の前でAさんを叱った場合、後で、こっそりAさんだけを呼び出し、皆の前で叱った理由を説明して納得してもらうというフォローが必要でしょう。

叱るのは、あくまでも「一対一」を原則とすべきです。

27. ⑻褒めるときは「みんなの前で」

叱る際にもう一つ大切なのは「叱る前に褒める」ことです。

「ミスをしたり、やる気が見られなかったりするから叱るのに、どうして褒めるんだ?」

と思う人もいるかもしれませんが、人には誰しもよいところはあるものです。
周りに誰もいないからといって、いきなり叱られたのではいい気持ちはしないし、反発心が先に立ってしまうかも知れません。そこで、原則としては「まず褒める」。叱るのはその後です。

たとえば、次のケースを考えてみてください。あなたが注意を受けている立場として、どんなふうに感じるでしょうか。

「キミは出社するのはいちばん早いし、仕事にはずいぶん意欲的に取り組んでいると思う。でも、このあいだのY社への対応はいただけないな。あれでは、先方さんが気分を害するのも当然だ。もっと丁寧な対応をすべきだったな」

いかがでしょうか？
評価もしてくれているし、頭ごなしに言われているわけではないので、素直に聞こうという気持ちになるのではないでしょうか。

では、次の言われ方はどうでしょうか。

「キミ、このあいだのY社への対応はいただけないな。あれでは、先方さんが気分を害するのは当然だ。もっと丁寧な対応をすべきだったな。キミが朝早くに出社して、意欲的にがんばっているのは知っているだけに残念だ」

後からフォローの言葉はありますが、頭ごなしに怒られていると思って、反発する人もいるかもしれません。後からのフォローの言葉は、とってつけたような、わざとらしいセリフに聞こえてしまいかねません。

言っている内容はまったく同じでも、人間の心理というのは不思議なもので、認められていることを前提に注意を促されると、素直に納得し、聞き入れ、これからは改めようと思うものです。

しかし、最初に否定されたり、先に叱られたりすると、「いつもはちゃんとしているのに、失敗した部分だけ見つけて怒るのか」といった自己弁護や言い訳を誘発してしまいかねず、注意が相手の心に届かずに終わってしまう可能性があります。

要は相手を認め、尊重した上で、叱ったり注意したりすることが大切であるということです。

また、叱るときとは反対に、褒めるときはみんなの前で褒めるのを原則とすべきでしょう。

「キミ、がんばってるな。営業成績もどんどん伸びているし、K社の部長からは『御社の○▽さんはいつも親身に相談に乗ってくれて、聞いたことには迅速、的確に答えてくれる』とお褒めの言葉をいただいたよ。私もうれしかった。これからもこの調子でがんばるように」

……といったことをほかの人がいる前で朗らかに話す。

当然、言われた当人はうれしいし、誇らしく思う。

それと同時に、周りにいる人たちも「よし、オレもがんばろう」という心持ちになるでしょう。

28. (9)「聞く」ことで「伝わる」こともある

悪口や陰口は当然、ビジネスをする上でも気をつけるべきことです。ビジネスパーソンは、少なくとも顧客の前ではよその会社の悪口やうわさ話を絶対に言ってはいけません。

車を買おうかどうしようか迷いながら、ある販売店に行ったときのことです。

気になる自動車のそばで、買うかどうか迷っていると、営業マンが近づいてきて、「テレビによく出ている○△さんがこのあいだ、私から車を買ってくれたんですよ」と話しかけてきました。

私がテレビに出ている人間だと彼が気づいたのかどうかわかりませんが、あの有名な○△さんが買ったほどの車だから、いい車ですよと言いたかったのでしょう。

でも、私はいやな感じがしたのですね。

「この人はあちこちで客の話をしているんだな。もし私がここで車を買ったら、『池上彰さんも、この車を買ったんですよ』なんて言うかも知れない。私が知らないところで、私のうわさ話をするんだろうな」

そう思った私は、この販売店で買うのをやめました。

ビジネスパーソンが信頼を得るには、口が堅いことが必要です。

たとえば、取引先の人があなたに、

「キミは▽□商事も担当しているんだって？　あそこの社長は無理難題ばかり言ってきて、大変だろ」

と言ったとします。

この場合、

「ほんと、そうなんですよ。あの社長にはまいっちゃいますよ。実はこのあいだも……」

なんて返すようでは、ビジネスパーソン失格。あなたに話しかけてきた取引先の信用すら失いかねません。

たとえ本心では快く思っていないとしても、

「いえいえ、そんなことはないですよ」

などとかわすか、

「あそこの社長さんにもお世話になっていますから」

というレベルの返答をすべきでしょう。そうでなければ、笑ってごまかしても構いません。

その反応を見た相手は「コイツは口が堅いし、取引先のことを悪く言わないな」と思って、あなたに信頼を寄せるでしょう。

29. ⑽理屈ではない感情もある

二〇〇六年の六月、ドイツで開かれたサッカーのワールドカップで、日本は第一試合をオーストラリアと戦いました。

結果は一対三で逆転負け。応援していた日本人の口元から深いため息が漏れたことでしょう。日本の多くのファンは眠い目をこすりながら、テレビに釘付けになっていたからです。

後日私は、「負けたのに淡々と話す選手に、なんとなく腹が立った」という声を何人かから聞きました。

「『応援してくれていた日本の皆さん、すみませんでした。初戦は負けてしまいました。でも、次はもっとしっかりやります』くらい言ってほしかったな」と言う人すらいました。

理屈でいえば、何も、日本の視聴者向けに「すみません」などと謝る必要はありません。

彼らは精一杯やって、その結果、負けてしまったのですから。それにそもそも、悪いことは何もしていません。

しかし、日本でゲームを楽しみにして、深夜に眠い目をこすりながら、固唾《かたず》をのんで応援していた身としては、淡々と話す選手がどこか腑に落ちない。なんとなくですが、謝ってほしい場面なのです。

これは、いいとか悪いといった問題ではありません。

なんとも日本人的な感性のような気がします。

日本チームは、その後の試合もふるわず、結局、決勝トーナメントに進むことはできませんでした。

もちろん、というべきか、選手たちから〝謝罪〟の言葉は聞かれませんでした。悪いことをしたわけではないのですから、当然といえば当然です。

けれども、「期待に応えられなくて、すみませんでした」のひと言を言ってほしかったと、多くの日本人は思ったことでしょう。

理屈を考えれば謝る必要はないけれど、ひと言「ごめんなさい」と言うことで、事がスムーズに進む場面は日常的にあるはずです。

そう考えると、「ごめんなさい」「すみません」のひと言をこだわりなく言うのも、人生では大切なことです。

30. ⑾謝ることは危機管理になる

サッカーのワールドカップのことを書いていて、フィギュアスケートの選手だった渡部絵美さんのことを思い出しました。

渡部さんは、冬季オリンピックでメダルを期待されていながら、転倒してしまい、メダルを取れなかったことがありました。

そのとき彼女は、終わった後にひと言「ごめんなさい」と言ったのです。

見ている人は「期待していたのに、メダル、取れなかったじゃないか」と思っている。多くの人が残念に思うと同時に、なんとなくカリカリしていました。

もちろんそんなことは、渡部さんの知ったことではありません。理屈で考えたら、彼女が謝る必要など何一つない。渡部さんは一所懸命やったけれど、結果としてうまくいかなかった。

ただ、それだけのことです。

でも、そこでひと言謝ったことで、日本中の雰囲気が変わったことも事実です。「がんばったのだから、そんな謝るようなことじゃないよ」「よくやったじゃないか」といった好意的な雰囲気が、メディアも含めて、一瞬のうちに多数派になったのです。「彼女が謝らなければならないほど、我々日本人は彼女に過大な期待を抱いて、プレッシャーをかけていたんだなあ」と、こちらが反省してしまうほどでした。

ひと言「ごめんなさい」と言ったことで、いらぬ批判を受けることを回避できたことになります。

もし彼女が謝ることなく、「こうこうこういう理由で、十分なパフォーマンスができませんでした」などと冷静に分析していたら、多くの日本人は聞き苦しい言い訳だと受け止めたかも知れません。

ひと言謝られることで、なんとなく納得し、なんとなく許してしまう。非常に日本的といえば日本的ですが、これが多くの日本人の感性です。

こうして見てみると、〝謝罪〟は危機管理になることがおわかりでしょう。

悪いこと、たとえば法令に違反したときなどはもちろん、悪いことをしたわけではないけれど、周囲の期待に応えられなかったときにも、謝ることで、反感を買ったり、問題が大きくなったりすることを未然に防げることが多いからです。

先に紹介した爆笑問題の例は先手を打った危機管理、渡部さんの例は、終わってしまった後での危機管理ということもできそうです。

それに対して、村上世彰さんは、記者会見の場の空気を読み違えたといえるでしょう。インサイダー取引の嫌疑がかかっているのに、得々として自説を展開してしまったからです。逮捕直前の場で発言する内容としては、適切ではありませんでした。

「正しいか正しくないか」とは別に、「今、何を言うべきか」を判断する能力は、ビジネスパーソンに求められる資質といえるでしょう。

31. ⑿苦情を言うときのポイント

購入した製品の調子がおかしい。スーパーで買った食品に虫が入っていた。テレビを見ていたら、不適切な発言があった。……

あるいは、取引先が納入期日を守らなかった。代わった担当者が打ち合わせの内容を何も理解していなかった。発注した製品と違う製品が届いた……。

こうした状況は、往々にしてあります。苦情の一つも言いたくなることもあるでしょう。

では、相手に苦情や意見を言ったり、注意を促したりするときは、どのようにすればよいのでしょうか？　私が考えるポイントをいくつか紹介してみましょう。「電話で言う」場合を想定しています。

まずは、自分がいわゆるクレーマーでないことを相手にわかってもらいます。それも、早い段階で伝えるべきでしょう。

苦情を受ける側は、やはり身構えるものです。

「何を言われるんだろう？」

「何か大きな問題があったのかしら？」

「言いがかりをつけられるんじゃないか？」

受話器をとるとき、不安が脳裏をよぎります。

「東芝クレーマー事件」をご記憶でしょうか。

東芝のビデオデッキを購入した人が、その製品の修理を東芝に依頼したのですが、その際のやりとりの中で、東芝の社員が暴言を吐くなどの不適切な対応があったとして、その経緯や電話でのやりとりを録音した音声を自身のウェブサイトで公開しました。一九九九年のことです。

これをきっかけに、「クレーマー」という言葉が広く知れ渡るようになりました。各企業は消費者や利用者からの苦情や意見に、いっそう神経を遣うようになりました。

ですから、まずは自分がいわゆるクレーマーでない旨を伝えることです。

伝える方法は、いくつかあります。

一つには、名前を名乗ることです。

「先日、御社の製品を購入した△□といいます」

相手は、このように丁寧に名乗られることで、まずはひと安心します。

あるいは、名乗らないまでも、「自分は○□という者です」と、立場やなぜ電話をかけてきたのかを早い段階で相手に伝える。たとえば「先日、○▽で御社の□×を購入した者です」と伝えて、怪しい者ではないことを相手にわかってもらうのも一つの方法です。

もちろん、話すときは威圧的であってはいけません。丁寧に物腰柔らかく話せば、理想的です。あるいは、そこまでいかなくても、普通に話せばいいのです。

腹立たしい思いをしていたときには、深呼吸をしてから電話をかけるくらいがちょうどいいでしょう。

32. ⒀「実りある苦情」にするために

自分がクレーマーでないこと、あるいは怪しい者ではないことをわかってもらったら、何を言いたいのか、何について意見があるのか、言いたいことの全体像を伝えます。

「あのー、これ、買ったんだけど、なんかちょっとヘンじゃないかな」

とか、

「なんか、このあいだ買った、おたくの商品、調子悪いんだよね」

とかと言っても、相手はさっぱりわかりません。精神的な負担をかけるだけです。それこそクレーマーと思われてしまいかねない。

だからこそ、言いたいことの全体像を相手が具体的にイメージできるように伝えることが大切なのです。

その上で、自分として、企業に対し、どのような対処を望むか、はっきり伝えましょう。

苦情を言ってくる人の中には、「誠意を見せろ」とだけ言い続け、言質《げんち》をとられずに（つまり現金を脅し取ろうとしているという客観的な証拠を握られないようにしながら）現金を要求するタイプの人がいるからです。

もし苦情を言う側が名乗りもせず、どういう者か伝えもせず、言いたいことを具体的に言うこともなく、威圧的に、あるいはネチネチと文句ばかり言っていると、相手は揚げ足をとられまいと、木で鼻をくくったような対応に終始してしまうかも知れません。

これでは〝せっかくの苦情〟も、実りなく終わってしまいます。

苦情や意見を言うこと自体は、悪いことではありません。苦情を言わずにはいられない事態が生じたのなら、黙っていて不満をため込むより、相手に伝えたほうがよい場合もあるでしょう。

相手にとっても、顧客や取引先から受ける苦情や意見が役立つことがあります。

たとえば、食品に虫が混入していても、内部の点検では気づかないこともあるでしょう。顧客から指摘されて、初めて気がつくこともあるのです。

そこで初めて、なぜそうなったのか原因を解明するとともに、改善を迫られる。結果として、業者にも顧客にもメリットが生まれます。

だから、苦情や意見は悪いことではありません。

しかし、たとえ自分が買った食品に虫が混入していたとしても、あるいは購入した電化製品が壊れていたとしても、それを怒りにまかせて伝えるようでは、相手は聞く耳を持ってくれないかも知れません。会社としての落ち度があったとしても、相手も人間ですから、感情的な言い方はできるだけ避けるべきです。話がこじれてしまっては、望んだ返答も成果も、得られなくなってしまいます。


苦情を生かすには、やはり「伝え方」が重要です。

まずは自分がどういう者か伝える。

その後、どうして電話をしたのか、全体像が相手にわかるように話す。

自分として、どう対処してほしいのか、その希望・要望を明確に伝える。

話すときには、なるべく穏やかに、落ち着いて、普通の声音で話す。

これが苦情を言うときの基本です。

33. ⒁苦情電話の対応法

それでは反対に、相手から苦情を受けたときには、どのような対応をしたらよいのでしょうか。

まずは、相手がクレーマーかそうでないか判断することが大切です。見極め方はいくつかあります。

一つには、話し方、あるいは声から判断します。最初は猫なで声で話していたかと思うと、急に声を荒《あら》らげたりする。これは要注意です。

また、「これはヘンだな」と思ったら、「どういうことでしょうか」とか「○△ということがあったのですか」とか穏やかに聞き返してみる。たとえていえば、少しジャブを打ってみるとよいでしょう。そこで態度が変われば、クレーマーである可能性が出てきます。

クレーマーでないと判断できた場合は、相手の言うことに真摯に耳を傾けるべきです。

自分ないしは自社に落ち度があった場合はもちろん、落ち度がないと思っても、相手の言い分に一定の筋が通っていれば、やはりきちんと耳を傾けるべきです。

　では、相手が明らかにクレーマーだと判断できた場合はどうでしょうか。その場合は、言葉尻をとらえられないように、建前の話に終始したほうがよいでしょう。「おっしゃることは、個人的にはよくわかるんですが……」といった理解を示す発言を安易に言うことも控えるのです。相手につけいる隙《すき》を与えてしまうこともあるからです。

　相手が脅迫的な話し方をしてきたら、「この会話は後日のためにテープに収録していますと言うことも考えましょう。相手がそれで怒ったら、「後日、言った、言わないのトラブルにならないようにするためです」と説明するのです。「単に記録をとっているだけです」と言ってもいいかも知れません。実は、単に記録をとっているのではなく、「脅迫するなら警察に提出する証拠になるんだよ」と暗に言っているのですが。

「誠意を示せ」と言う人が求めているのは、たいがいが現金のことですが、それに応じるわけにはいきませんから、ひたすら「誠意を示して応対する」ことです。「いくら誠意を示せと言い続けても金を出さない会社だな」と相手がわかれば、いずれ身を引くはずです。

　クレーマー以外にも、寂しかったり、人恋しかったりして、電話をかけてくる人も中にはいます。あるいは、話を聞いていると、結局、自分の自慢話をしたいだけだった、という人もいます。

会社や職場はそうした人たちの相手をする場ではありませんから、もしそうした人だと判断できた場合は、話の区切りのよいところで電話を切るのがよいでしょう。

あまりにしつこく、長引くようなら、無理に自分一人で対処しようとせずに、上司に代わってもらうのも一つの選択です。

電話での苦情は、相手の顔が見えないだけに難しい面があります。

今の時代は、苦情電話に対するマニュアルも必要だと思います。作ってある会社も多いと思いますが、もしまだないようなら、早急に作成するべきでしょう。

マニュアルだけでは対応できないケースもあるでしょうが、マニュアルをもとにした対応は、企業として、最低限の対策と考えるべきです。たとえば、応対に出た人は自分の名前を名乗るべきか、名乗らないほうがよいのか、といったことも、企業として決めておいたほうがよいでしょう。

余談ですが、私がＮＨＫに勤めていたときも、苦情電話の常連さんがいました。「そろそろかかってくるかな」とスタッフと話していると、まるで私たちの話を聞いていたかのように電話がかかってきます。ＮＨＫの悪口を言うのですが、それだけいつも電話をかけてくるということは、よっぽどＮＨＫのことが好きなのでしょうね。

ＮＨＫと民放では、苦情電話への対応の仕方が異なります。民放ですと、「イヤなら見るな」と電話を切ることができます。現実問題としては、そんな応対をする人は減ってきているのでしょうが、以前は、「そう言ってやった」と話している民放の人がいたものです。しかし、ＮＨＫはそうはいきません。受信料を払ってくださっている視聴者の話には、きちんと応対しなければならないからです。

苦情電話の中には理不尽なものも多く、こちらが思わず反論すると、相手の怒りはますますエスカレートしてしまいます。「ＮＨＫに言ってやったんだ」と、後で自慢するために電話をかけてきたとしか思えないものもあるのですが、こうなると、こちらはまるでカウンセラーのような役回りにもなります。相手の話を聞いてあげるだけで、相手は満足してくれるのです。

第4章

ビジネス文書を書く

34. ⑴フォーマットを身につける

ここでは、ビジネス文書の書き方について、技術的な話をしましょう。念頭に置くのは、報告書や提案書、企画書の類です。

これらの文書には、企業や職場によるでしょうが、一般的には「フォーマット」が存在します。フォーマットとは、日本語でいえば、「一定の形式」のことです。

たとえば、報告書の場合は、「目的」「経緯」「結論」などが必須項目になります。報告書などをまとめる場合は、まず自社のフォーマットを知り、それに沿って文書を作成することが求められます。それだけで、ある程度の文書は書けるようになるものです。

次にすべきは、よき文書を書くための努力。そのためには、先輩や上司が書いた文書を見せてもらって研究することです。何人もが書いた幾種類もの文書を読み込んでいくと、それぞれの文書のよい面と悪い面が徐々に見えてくるようになります。

説得力の有無、論理展開の優劣、わかりやすさ、文章のリズム、誤字脱字など、気づくことは多いでしょう。

35. (2)優れた文章を書き写す

次には、できれば文章を書き写すことです。そうすることで、読んだだけではわからなかったそれぞれの文書のよい面、悪い面が、より明瞭に見えてきます。

私はNHKの記者時代、ニュース原稿を数え切れないほど書きました。

しかし、入社当時は何をどう書いたらよいのか、さっぱりわかりませんでした。経験がなかったのですから、当たり前です。

そこでとった行動は、先輩記者が書いた原稿を書き写すこと。

私が最初に配属されたのは島根県の松江放送局でした。そこで、先輩記者が書いた原稿をひたすら丸写ししたのです。いったん帰宅した後、深夜に局に戻り、先輩たちが書いた原稿の綴りを引っ張り出し、一字一句を書き写していきました。

当時は、パソコンはおろかワープロもない時代でしたから、鉛筆でひたすら書き写すのです。

島根県庁担当、島根県警担当、松江市役所担当などなど、それぞれの先輩が書いた原稿を書き写しながら、ニュース原稿の書き方を頭と腕に叩き込んでいったのです。

さらに、ＮＨＫラジオの全国放送のニュースを録音し、それを書き起こしました。松江放送局にある原稿は島根県のニュースばかり。全国レベルのニュース原稿を、こうして入手し、自分なりに研究したのです。

この方法は何も私の専売特許ではありません。作家をめざす人も、自分が好きな作家の文章を丸写しして、文章力を磨く練習をすることがよくあるようです。浅田次郎さんも「文章修業のため、川端康成や谷崎潤一郎らの文章を書き写した」と発言しています。

先輩や上司が書いた文書を書き写す作業は時間がかかりますが、読み込んだ中から「これは」と思うものを選び出して書き写してみると、学べることは多いはずです。

その際には、私の実感としては、キーボードで打ち込んでいくよりは、鉛筆やペンを使って手で書き写していくほうが、より勉強になるような気がします。

36. ⑶現地調査では「素材」を探す

ニュース原稿を書く場合は「５Ｗ１Ｈ」、すなわち「Ｗｈｅｎ＝いつ」「Ｗｈｅｒｅ＝どこで」「Ｗｈｏ＝誰が」「Ｗｈａｔ＝何を」「Ｗｈｙ＝なぜ」「Ｈｏｗ＝どのように」したのかを押さえることが基本であるといわれます。私たちが取材をする際は、この「5W1H」を常に意識しています。

私は、ジャーナリストの「5W1H」に相当するものが、報告書などにおける「フォーマット」であると理解しています。

ある報告をするために現地にリサーチに行くとします。

この場合、漫然と現地に赴《おもむ》くようでは、ビジネスパーソンとして失格です。事前に報告書のフォーマットを確認し、頭に叩き込んで、それを常に意識しながら現地調査をすることが大切です。

もちろん最低限の下調べをしていくことは必須条件。

フォーマットが決まっているということは、料理にたとえれば、料理の手順が決まっているということです。その手順に当てはめるための「素材」を探すのが現地調査。

だから報告書をまとめる際には、素材を手順に当てはめていけば、基本的には十分な報告書が出来上がるはずです。

ＮＨＫでは、番組の企画を提案する場合、提案書をまとめます。番組の規模には関係なく、一〇分程度の短時間の番組も一時間半のスペシャル番組も同様に、Ａ４の用紙一枚に書きます。内容は「仮タイトル」「ねらい」「構成要素」「結論」などです。

提案書の分量自体は大したことがありませんが、取材をしっかりしていないと、構成要素はなかなか書けません。

反対に、取材は十分にしても、提案者の頭の中が整理されていないと、多くの要素が詰め込まれていて、どういう番組を作りたいのか、不明瞭になってしまいます。

取材を徹底的に行なった上で、要点をしっかりと整理すれば、提案書や報告書はＡ４の用紙一枚に十分に収められるというのが私の実感です。

もちろん業種や職種によって多少の違いはあるでしょうが、これは多くの仕事で共通しているのではないでしょうか。

調査を十分にした上で、要点を伝えるのが提案書や報告書の持つ意味合いなのですから、必要なことを簡潔に書く必要があります。

37.（4）演繹法か、帰納法か

報告書などをまとめる場合、論理学でいうところの「演繹《えんえき》法」と「帰納法」の考え方が参考になります。

演繹法や帰納法といわれても、「そういえば、そんなこと、昔、習ったな」くらいの意識で、具体的な意味は忘れてしまっている人が多いかも知れません。少しおさらいしておきましょう。

演繹法とは、ある事柄を前提として、具体的な一つの結論を得る推論方法のことです。これに対して帰納法とは、個別具体的な事例から、一般的な規則を見出そうとする推論の方法です。

こう言っても、まだピンとこないかもしれません。少し例をあげて説明しましょう。

たとえば、「バラにはトゲがある」という前提から出発して、ハマナスはバラの仲間だから、ハマナスにもトゲがあるだろう、と推論するのが演繹法です。

これに対し、観察した一〇〇本のバラすべてにトゲがあったとします。そこで、「バラにはトゲがある」という結論を出すのが帰納法です。

ごく簡単にいえば、先に結論ありきが演繹法で、いろいろと情報を集めて結論を構築していくのが帰納法です。

報告書や提案書をまとめる場合、どちらがよいかといえば、帰納法に決まっています。現地や現場を調べた結果をまとめるからです。ジャーナリズムでいえば、下調べを十分に行なった上で、さらに取材を繰り返して掘り下げ、結論を導き出す。こうした積み重ねがスクープや充実した記事に結びつきます。

だから、帰納法が理想です。

学者が現地調査（フィールドワーク）をするといった場合も、帰納法です。

しかし、多くのビジネスパーソンには、そこまでの時間はないのが現状です。

現実問題として、帰納法だけで取り組むと、膨大な取材が必要で、とてつもない時間がかかりますから、少なくとも帰納法だけで報告書をまとめるのは非現実的といえます。

そこで、お勧めしたいのが「緩やかな演繹法」です。

38. (5)「緩やかな演繹法」

「緩やかな演繹法」とは、演繹法と銘打っているのですから、基本的には演繹法です。ただ、状況によっては、帰納法を取り入れるのです。その意味で「緩やかな」と断わっています。

演繹法では、先にも書いたように、個別具体的な結論を得るように試みます。

そのためには、まずは下調べ。そこで仮説を立てます。「きっと○△ではないか」と。さらに「▽□というストーリーがあるのではないか」と。

その上で現地に行ってみて、その通りであれば、仮説が立証されたことになります。仮説の通りだったわけですから、報告書や提案書はまとめやすいはずです。

ところが、実際に現地に行ってみると、下調べをして、仮説を立てていたこととは違った部分も見えてくるものです。

いやむしろ、何かしらの発見をするために現地に行くわけですから、何も気がつかないようでは、行く意味がありません。

ですから、演繹法といっても、仮説にがんじがらめになってはいけません。ジャーナリズムの世界でいえば、「初めに結論ありき」ではいけないのです。

取材前に立てた仮説を前提に取材を進めていると、実際には、その仮説とは違った現実があることに気づくはずです。しかし、すでに作られている〝シナリオ〟通りに進めないと、上司やプロデューサーから叱られてしまう。期限も迫っている。今さら新たなシナリオを作るのは、時間的にも予算的にも難しい。よし、じゃあ、仮説通りのストーリーにしてしまうか、という誘惑に駆られる恐れがあります。

最初から決めている結論が出るように事実関係を捻《ね》じ曲げてしまったら、それは捏造《ねつぞう》です。大問題になった関西テレビの番組『あるある大事典』の捏造問題にも、一つには、こうした背景があったと思います。

これは、ジャーナリズムに限ったことではないでしょう。

市場調査をして、その結果をまとめようとしたけれども、仮説と大幅に違っていた。しかし、見聞きした通りに報告書をまとめるほどの時間的余裕はない。さぁ、困った。ここは、立てた仮説を少しアレンジして、報告書を作成しようか。

こんな〝悪魔の誘い〟を受けたことのあるビジネスパーソンも、少なからずいるのではないでしょうか。

では、下調べをして仮説を立てることは無駄なのでしょうか？

いいえ、仮説を立てたことは決して無駄にはなりません。むしろ非常に有効に働きます。土台があるからです。

何もない白紙の状態から調査をして、文書をまとめるのは、文字通りゼロから積み上げるわけですから、大変な手間と時間がかかります。

しかし、仮説を立てて現場に臨めば、たとえ仮説とは状況が大きく異なっていたとしても、土台があるので、軌道修正をすれば、対応は比較的容易にできるのです。

つまり、白紙の状態で調査を開始するよりも、効率はずっとよいといえます。

それにそもそも、仮説を立てて現地に臨んで、その仮説とは違った、あるいは上回る事実や情報が仕入れられたら、それこそが現地調査に行った甲斐があるというもの。喜ぶべきことです。

現地に行けば、仮説とは違う現実があるもの。それを最初から念頭に置き、どこが仮説と異なるのかを調べようとすることが、効率的な調査に結びつくのです。事前準備をしっかり行ない、仮説を立てて現地に臨みましょう。

39. (6)「五感」を大事にする

ここまでは「フォーマット」を生かしながら、文書をまとめる方法を紹介してきました。フォーマットはとても大切です。

しかし、もっと大切なのは、当然ながら「中身」「内容」です。この中身や内容は、オリジナルでなければなりません。

この「中身」に関して、昨今気になることがあります。それは、ウェブサイトに書かれている情報を写して（コピーして）、それをさも自分のオリジナルのように発表したり提出したりする人がいることです。

ウェブサイトを参考にする分には構いませんが、そっくりそのまま、あるいは「てにをは」を変えたり、多少の訂正を加えたりした程度で、自分が調べ、考えたことであるような態度をとることは問題です。

もちろん著作権の問題がありますが、それ以前に、インターネットに流通している情報は、基本的には「死んだ情報」と理解するべきだからです。

報告書や提案書には、まさにオリジナリティーが求められます。現場に行って初めて気づいた事実や現地で聞いた話、感じた自分自身の感性を大切にし、それを書面に反映させなければなりません。

テレビや新聞、雑誌、インターネット、あるいは社内では手に入らない情報を大事にしてほしい。それでこそ、現地に赴く意味があります。


現地に行って問われるのは「五感」や「雑感」です。

色、音、味、におい、手触り。五感を研ぎ澄まし、現場の空気を感じ取って、報告書や提案書の中にさりげなく入れるのです。そうすることで、報告書や提案書はあなた独自の文書になると同時に、臨場感の漂う文書になることでしょう。

感じた雑感を入れるのは、一カ所かせいぜい二、三カ所で構いません。全編それをすると、何の報告書だかわからなくなってしまいますから。

臨場感を少し出すと、キラリと光る報告書や提案書になるものです。

40. (7)問題は「中身のない文章」

「伝える力」を磨くためには「文章力」も当然含まれます。

しかし、文章力は秀でているけれど、中身がないビジネス文書もときどき見受けられます。

報告書でいうと、急に抽象的な表現になる箇所です。こうした報告書は、えてして小手先で書いています。現場の現実との格闘がないのです。

反対に、文章自体はいまひとつ未熟でも、中身の濃い報告書もあります。こうした報告書は具体的で、よく調べられていて、自分の考えがしっかりまとめられているのが伝わります。こちらのほうが、報告書として優れているのです。

美辞麗句を並べ立てても、人の心は動かせません。人の心を動かせなければ、上司も会社も取引先も動かせません。報告書はただの紙切れになってしまうでしょう。

また、扱うテーマに対して、理解があやふやなときも抽象的な表現が増えがちです。具体的なことを書けるのは、テーマについてしっかり理解しているからです。

文章力に自信があるからと、報告書や提案書を小手先でごまかし続けていると、実《じつ》を伴った仕事はできません。文章力や表現力を磨くと同時に、中身の伴う文書を書けるように、そのための突っ込んだ調査をすることです。

第5章

文章力をアップさせる

41. (1)「もう一人の自分」を育てる

物事を誰かに伝える場合は、独りよがりにならないようにすることです。そのためには、「もう一人の自分」を持って、それを育てていくとよいでしょう。

たとえば、思いついたアイデアや企画を書き出してみたとしましょう。

その際、書いたあなたが「なかなかいい出来じゃないか」と思ってしまったら、「もう一人の自分」がいるとはいえません。書いたあなたも、見直しているあなたも、どっぷりとそのままのあなたです。

「もう一人のあなた」がいたら、〝その人〟はどう見るでしょうか。

「そういえば、これ、三年ぐらい前にも流行ったな」

ということに気がつくかもしれません。あるいは、

「でも、これ、ほんとにおもしろいのかな」

と一歩引いて見るかも知れない。あるいは、

「論理展開が一貫していないな」

「文章がわかりにくい」

「誤字脱字がたくさんあるじゃないか」

といったことに気がつくかもしれません。

これが、私が言う「自分の中にもう一人の自分」を持つという意味です。

もう一人の自分は、常に自分に〝ツッコミ〟を入れます。

「おいおい、これ、ほんとにおもしろいのか⁉」

「なんだよ、これ、なんの新味もないじゃないか」

「なんだか、読みにくい企画書だな。これじゃ、上司は中身がよくても読む気がしないな」

……

おいおい、改善の余地はまだまだあるぜ、というわけです。

こうして「もう一人の自分」を持つことで、〝一人ツッコミ〟（あるいは〝一人ブレーンストーミング〟とも私は呼んでいます）ができるようになります。

一人ツッコミ（あるいは、一人ブレーンストーミング）は、書く行為だけではなく、話すときにも有効です。

たとえば、会議で発表しているとき、「反応がどうもいまひとつだな」と思う。

そうしたことに気がつくだけでも、「もう一人の自分」がいるといえそうですが、まだまだ不十分。十分な域に達するには、もう一歩進める必要があります。

「この状況は、言っていることがあまり伝わっていないんじゃないか。まずい、まずい。よし、じゃあ、別の方面から説明してみよう」

ここまで思えて、さらには実行に移せてこそ、もう一人の自分がしっかりとツッコミを入れているといえるのです。

うーん、なんか難しそうだな。不器用なオレにできるかな。面倒くさがり屋の私には向かないわ。……

そう思う人がいるかもしれませんが、これが意外にカンタン。いったん〝クセ〟にしてしまうと、思いのほか、難しくないものです。

少しでもいいから、書くときも、話すときも「もう一人の自分」を常に意識する。そして、自分で自分にツッコミを入れてみる。

そうすることで、あなたの「伝える力」は確実に上達していくはずです。

42. (2)プリントアウトをして読み返す

皆さんはメールを送るとき、書いた後、見直しをしてから送っているでしょうか？

親しい友人に送る場合は、思うままに書き連ね、そのまま送信しても構わないかも知れません。

でも、取引先や顧客に送る場合は、それは危険です。

社内での企画書や上司に提出する報告書の場合も、少なくとも一回は見直すべきでしょう。

見直すことの効果については、多くの人が認識していることと思います。それは、書いているときには気がつかなかった多くのことに気がつくからです。

「誤字や脱字に気がつく」

「表現の不適切さ、幼稚さ、難解さに気がつく」

「論理展開が未熟なことに気がつく」

などなど、実に多くのことに、見直すことで気づきます。

今では、「書く」行為は多くの場合、「打つ」行為に変わりました。仕事でメールを送るのはパソコンですから、書いた文章を見直すのは、多くの場合、パソコンの画面上になります。しかし、これでは、見直す作業としては不十分。パソコンで書いた文章を画面上で見直しても、まだ十分には「もう一人の自分」が育っていないのです。

画面で二回、三回見直した後でも、プリントアウトをして、印字した紙を読んでみると、単純な誤字を見つけてしまうこともしばしばです。おそらくは画面上で読み返しているのはまだ「書いた自分」であって、プリントアウトした用紙を読むことで初めて「読み手」すなわち「第三者」の視点に立てるからでしょう。

あなたも試しに、これまでに送ったメールをプリントアウトして読み返してみてください。気がつくことが多いと思います。

「こんな誤字を書いていたんだ」

とか、

「この文章、意味がわからない。本当に私が書いたの!?」

とかいったことに、今さらながら気づかされて、思わず赤面してしまうかも知れません。

見直す行為は、できるだけプリントアウトをして行なう。

特に、重要な報告書や提案書などは、万全を期するために、そうすることをお勧めします。

43. (3)寝かせてから見直す

見直しはプリントアウトをした上でも行なう。さらに欲をいえば、書いた後、しばらく「寝かせる」ことがより望ましいといえます。

寝かせる期間は、長い文章であれば、できれば一週間ほどです。そのあいだ放っておいて、頃合いを見て、自分が書いた文書を見直します。そうすると、書いているときや書き終えた直後には気がつかなかった不十分な点に気がつくものです。

本が出版される際は、著者が書いた原稿がすぐにそのまま本になるわけではありません。書いた原稿はいったん「ゲラ」と呼ばれる試し刷り（校正刷り）の形になります。

このゲラは、本の形にこそなっていませんが、文章の組み方は最終的な本とほぼ同じです。

著者が原稿を出版社の編集者に渡してからゲラができるまでには、一般的には、数日から二週間ほどかかります。その間、著者はほかの仕事をしていて、その原稿のことは忘れています。

何日か後に編集者からゲラを受け取ると、原稿を書いたときには気がつかなかった不備や論理展開の無理、誤字脱字などに気づくことがしばしばあります。

これも「寝かせる」ことの効用です。

そうはいっても、忙しい日常業務の中では、そんな悠長なことはやっていられないというビジネスパーソンも多いことでしょう。でも、仕事の段取りをうまくつけることで、ある程度はできるはずです。

たとえば、六月二〇日が期限の提出書がある場合、六月一九日に慌てて書類作成をしているようでは、こうした見直し作業はできません。

この場合は、六月一二、一三日ごろまでにひと通り書類を完成させ、一八、九日ごろに見直しするという方法をとらなくてはいけません。

これは一つの理想型ですが、ここまではなかなかできない、といった人は、せめてひと晩寝かせてみてはどうでしょうか。

二〇日が期限なら、一九日の帰社時間までにひと通りは仕上げます。翌朝、出社して再確認し、至らない点を訂正し、提出するなり、取引先に送付するなりします。

そうすることで、大きなミスを未然に防いだり、至らない点を訂正したりすることができるようになるはずです。

少なくとも重要な書類に関しては、これぐらいの工夫や手間は惜しむべきではないでしょう。

44. (4)音読する

自分で書いた文章を客観的に見るためには、音読してみることも効果的です。

私の場合は、本を出すために書いた原稿を全部声を出して読み返すこともあります。単行本一冊分といえば、四〇〇字詰原稿用紙換算でだいたい三百数十枚。キャスターとしてテレビで話すことを仕事としていた身としても、これはなかなか骨の折れる作業です。正直言って、疲れます。

そんな思いまでしてなぜそうするのか。それは、それなりの効果があるからです。

読んでまず気がつくことは、文章のリズムです。

書いているとき、あるいは黙読で読み返しているときには気がつかなかったリズムの悪さに、声に出して読むことで気づくことができます。

リズムが悪いと、読み手は文意を理解しづらいもの。たとえ文脈が通っていても、頭に入りにくいのです。

特に回りくどい文章に気づかされます。

一文が非常に長くて、何を言いたいのかがさっぱりわからない。二重否定どころか三重否定になっていることもあります。

「そのつもりがないわけではなかった」でも、ややこしいのに、「そのつもりがないわけでもなくなかった」なんて、いったい「そのつもり」があったのかどうかチンプンカンプンです。

一般的なビジネスパーソンは自分が書いた文章を読み返すといっても、原稿用紙で三〇〇枚もの文章を読まなければならないケースはまずないでしょう。多くの場合は、A４の用紙で一枚から数枚程度ではないでしょうか。この程度の分量なら、音読もそれほど苦にはならないはずです。

毎回とは言いませんが、可能な範囲で、自分の書いた文章を声に出して読み返してみる。職場でするときは、もちろん周りに配慮しつつ。

そうすることで、これまで気がつかなかったリズムの悪さや回りくどい表現に気づくようになるはずです。

45. (5) 上司や先輩に読んでもらう

この章では、自分の中に「もう一人の自分」を持って、第三者の目で客観的に自分が書いた文章を見つめることを勧めてきました。

もう一つ大事なことは、文字通りほかの誰かに、自分が書いた文章を読んでもらうことです。本書の読者の多くはビジネスパーソンでしょうから、読んでもらう人はたいてい先輩や上司、同僚になるでしょう。

「もう一人の自分」の目で自分が書いた文章を読み返すことは大切ですが、そうは言っても、どうしても自分の殻を抜け出せない部分があります。その殻は、自分の癖であったり、自分の限界であったりします。やはり文字通りの「他者の指摘」は不可欠です。

作家や評論家といわれる人たちが書いた原稿も、そのまま右から左へと本になっているわけではありません。間には編集者がいて、著者にいろいろな質問をしたり、意見を言ったりします。場合によっては、編集者によって、書き直しを要求されたりすることもあります。

そうしたやりとりがあって、

「ここはわかりにくかったのか」

とか

「ここはいまひとつおもしろくないのか」

とか

「文章がスッキリしていなかったんだな」

とかいうことが初めてわかることもあるのです。

プロの作家ですらそういうことが往々にしてあるのですから、書くことを専門の職業にしていないビジネスパーソンが、誰のアドバイスも受けることがないまま、わかりやすく、筋道の通った文章を書けるようになるとは思わないほうが賢明です。

まずは自分の能力を謙虚に受け止めて、自分以外の人から学ぶ気持ちを持つこと。それが何より求められます。

46. (6)人に話しながら、書く内容を整理する

書いた文章を見てもらうのではなく、書く前に先輩や同僚に話をしながら、書くべき内容を整理するという方法もあります。

ＮＨＫの社会部に在籍していたころ、ある先輩記者は取材に行って戻ってくると、

「今日、取材先でこんなことがあってね」

とか、

「例の問題、解決できるかもしれない。実は、こういうことじゃないかな」

とか、周りの記者連中に話しかけていることがよくありました。

当時、私は「そんな油なんか売ってないで、早く原稿を書けばいいのに」と思ったりしたものです。

でも実は、その先輩はそう言いながら、周りの反応を観察し、なおかつその日、取材したことを自分の頭の中で整理し、原稿をどうまとめようか考えていたのですね。

たとえば、私が、
「へー、それ、おもしろいですね」
と言うと、彼は内心、
「そうか、やっぱり、これはおもしろいんだな」
と、再確認していたと思うのです。

ビジネスパーソンが報告書などを書く場合も、この方法は活用できるでしょう。打ち合わせや視察から帰ってきて、報告書などを書く場合に、同僚やアルバイトのスタッフなどに「これこれ、こういうことがあったんだ」と話しかけてみる。

その際、相手はどこに興味を持つか、あるいはどこで退屈そうにするか、反応を見てみる。

自分ではおもしろいと思っていたのに、周りはさほど興味を持たないこともあるでしょうし、反対に、自分ではそれほどおもしろくも重要でもない事項だと思っていたことに興味を示すこともあるでしょう。

こうしたやりとりをしているうちに、自分の頭も整理され、何をどのように書けばよいのか見えてくることがあります。

もちろん「この問題、おもしろいと思う？」などと、ストレートに問いかけてみるのもよいでしょう。でも、何気ないやりとりから反応を見て、書く内容を整理するという方法もあることを知っておくとよいと思います。

ただし、話しかける際、周りの迷惑にならないように配慮するのは、社会人として当然のマナーです。

47. (7)ブログを書く

「他者の刺激を受ける」という意味では、ブログも励みになるかも知れません。

ブログは誰かに読んでもらうことを前提に書いているからです。その意味では、日記や備忘録とは持つ意味が決定的に異なります。

日記は通常、人に読んでもらうことを前提には書きません。むしろ人に読んでほしくないこと、人に打ち明けられないこと、あるいは自分の心の内をソッと明かし、ぶつけることを目的に書くものです。わかるのは自分だけでよいのです。

備忘録は、忘れたときに備えるために書くメモ書きのことですから、これもやはり人に見せることを前提にしていません。殴り書きでも構わない。これも日記と同様に、わかるのは自分だけで構いません。

文章力の向上を考えた場合、日記にしても備忘録にしても、何も書かないよりはマシですが、誰かの目に触れ、場合によっては批判を受けうる環境にあるブログにはとうてい及びません。

しかもブログには、あなたが書き込んだ意見や見解に対して、ほかの誰かが質問や意見をぶつけてくることもあります。場合によっては「何が言いたいのかわからない」といった反応もあるでしょう。

私もいろいろな人のブログを読みますが、読むに耐えないブログが多い中で、時々鋭い意見に感心させられるブログにも出合います。

同じ人のブログでも、何度か見ているうちに、論旨が明快になってきたり、文章が洗練されてきたりするものがあります。

これも他者の目に触れられているうちに、文章力などの「伝える力」が徐々に向上していったのではないかと感じています。

48. ⑻新聞のコラムを要約する

文章力を向上させるには、新聞の記事を短くする訓練をするのも役立ちます。記事は特にコラムがお勧めです。日本経済新聞なら「春秋」、朝日新聞なら「天声人語」、読売新聞なら「編集手帳」、毎日新聞なら「余録」です。

たとえば「天声人語」なら、文字数はおよそ六三〇字。これを約半分の三〇〇字ほどに書き直してみます。

要約することを前提にして読むと、単に読む場合と違って、その文章をより深く理解しようとします。言いたいことは要するに何なのか、必ずしも必要ではないところはどこか……なども考えながら読むでしょう。

実際に書いてみると、なかなかスムーズに要約できないことが多いと思います。

たとえば、四〇〇字までは短くできるけれども、あと一〇〇字、削ることができない。ここを削ってしまうと、言いたいことが何かわからなくなる。別のところを削ると、今度は三〇〇字を割って、二五〇字くらいになってしまう……。引っかかることが頻繁に出てきます。

しかし、こうした訓練を何度か繰り返すうちに、あなたの文章力、さらには考える力も確実に向上していくはずです。

反対に、新聞に書かれている記事の分量を増やす訓練もあります。たとえば、六三〇字の「天声人語」を八〇〇字に書き改めてみる。

これは、短くすることより難しい作業です。あなたが書いた文章ではないのですから、何をどう書き足せばよいのか、見当もつかないかもしれません。

方法としては、主張に関連するエピソードを加えてみたり、つかみの文章量を増やしてみたりといったことが考えられます。主張はそのままにして、周辺部分を厚くするのです。内容が薄くならずに、反対に、加筆することで説得力が増せば上出来です。

この訓練も、あなたの書く力と考える力を向上させることでしょう。

第6章

わかりやすく伝える

49. (1)氾濫する〝カタカナ用語〟

小泉純一郎氏は総理大臣のとき、カタカナ語を極力使わないようにという指示を出しました。

国会で答弁する際、英語を多用する答弁をした閣僚には「わかりやすく表現しろ」と叱責したこともあります。厚生大臣当時は、省内からカタカナ言葉を追放するための検討委員会まで設立したほどですから、筋金入りのカタカナ語嫌いです。

一方、現総理大臣の安倍晋三氏は小泉氏とは打って変わって、カタカタ語がお好きなようです。

「イノベーション」
「カントリー・アイデンティティー」
「子育てフレンドリーな社会」
「新健康フロンティア戦略」
「戦後レジームからの脱却」
そして極めつけは「ホワイトカラーエグゼンプション」

これでは、どこの国の総理大臣かわからないと言われても仕方ありません。

「美しい国」をめざすと言っておきながら、その国のあり方について、「カントリー・アイデンティティー」と表現したのでは、「美しい日本語」を使ってほしいと突っ込みたくもなります。

安倍首相に輪をかけてカタカナ語好きなのが塩崎恭久官房長官です。

「センシティブ」

「キック・オフ・スピーカー」

「ウイン・ウイン」

「フォーミュラ」

「エクスパティーズ」

など、記者会見でもカタカナ語を連発。記者団が呆れたという報道もありました。

どこの国の国民に向かって話をしているんだ、と言いたくなります。

とまあ、そう書いておきながら、私も本書で、カタカナ語をそこそこ使用しています。

「ビジネス」

「フォーマル」

「カジュアル」

「パフォーマンス」

「キーマン」

「フォーマット」

「バックアップ」

「アプローチ」

「クレーマー」

「プリントアウト」

などです。


カタカナ語の使用は、「時と場合による」のです。人によっては、私が使った用語がわかりにくかったり、違和感を覚えたりするかも知れません。でも、本書は「ビジネス新書」シリーズの一冊。学生さんや専業主婦の方、あるいは定年を過ぎてゆっくり過ごしている方も手にしてくれるかもしれませんが、想定している読者の中心は、もちろん現役のビジネスパーソンです。中でも本書の場合は、四十代以下の比較的若い人を主に想定しています。

そうした人たちに向けた本ですから、通常の業務で見聞きし、使用するであろうと思われるレベルのカタカナ語に限って使っているのです。

これがもし、中学生向けの本だったり、高齢者向けの本であったりしたら、私は違う書き方をします。

「時と場合による」というのは、以上のような意味です。

50. (2)カタカナ用語は社外の人には使わない

前項で書いたことは、ビジネスパーソンの場合も同様だと思います。部内で日常使われているカタカナ語があれば、それはそのまま使って差し支えないでしょう。

「コンテンツ」
「コンプライアンス」
「シーズ」
「シナジー」

「リスクマネジメント」

などなど、こうした用語をふだん使っていて、それで互いに意思疎通ができているのなら、それはそれで構わないと思います。

ただし問題は、そうしたカタカナ語を、部外や社外の人と接するときにまで使ってしまうことです。しかも当たり前のように使う。

これは、まったく勧められません。

たとえば、あなたがスーパーの店員だとして、お客さんに、

「ここの通路、狭くて、危険じゃないかしら。もうちょっと広げてくれませんか」

と言われたとします。

そこであなたが、

「お客さま、当店はコンプライアンスを守っていますし、リスクマネジメントもしっかりしております。どうぞご安心ください」

などと答えたら、どうでしょうか？　まさに場違いな返答であることがわかるでしょう。

お客さんは何を言われたのかさっぱりわからない可能性がありますし、バカにされたと思って怒り出すかもしれません。

これは少し極端な例ですが、あなたがふだん使っているカタカナ語がそのまま社会一般でも普通に使われているとは限りません。少しでも専門性のあるカタカナ語は、原則として部外や社外の人には使うべきでないでしょう。

これはカタカナ語に限らず、専門用語や業界用語についても同様です。

部内向け、社内向けであっても、たとえば、

「コンプライアンスのためのリスクマネジメントをコーチングするプログラムをディベロップメントしました」

などという表現は、もはや日本語ではありません。

もちろん英語でもないし、どこの国の言葉でもないですね。

まさに独りよがりの表現ですが、こうした言い回しをするビジネスパーソンは意外に多いものです。

では、なぜカタカナ語がここまで氾濫するようになったのでしょうか。ビジネス社会におけるアメリカの影響や日本人の欧米コンプレックスなどいろいろ考えられますが、一つにはカタカナ語は便利な側面があるからだと思います。

使えば、なんとなくわかったような気がするし、格好もいいし、相手に知的な印象を与えることがあるからです。

しかし、その言葉の意味することを追及されると、案外、答えに窮したりします。

たとえば「コンプライアンスのためのリスクマネジメントをコーチングするプログラムをディベロップメントしました」の意味は、おそらく言っている本人も漠然としかわからないでしょう。聞いた相手も、一瞬、何か高尚なことを言われたように思うかもしれませんが、よく聞いてみると（よく聞いてみても）、さっぱりわからない。

これではコミュニケーションはまるでとれないし、相手は煙《けむ》に巻かれたと感じ、不快に感じるかもしれません。

カタカナ語を日常、多用している人は、あえてその言葉を使わないで、大和言葉や漢語表現などで言い換えるように意識してみるとよいでしょう。

「コンテンツ」という言葉をよく使う人は「コンテンツ」をいっさい使わずに、伝えたいことを言ったり書いたりしてみるのです。

そうすると、なかなか適切な表現が見つからないことに気づくことでしょう。

そこで初めて、実は「コンテンツ」の意味を的確には理解していなかったことに気がつくのです。同時に、「コンテンツ」に対する理解が深まるはずです。「内容」と言うべきか、「作品」と言うべきか、「中身」と言うべきか。日本語で表現しようとすることで、厳密な議論もできるようになります。

カタカナ用語を使うのは、互いに通じる相手だけに限る。

これは最低限、守るべきことです。

また、それとともに、カタカナ用語をほかの表現で言い換えてみる。

そうすることで、その用語やそれにまつわる事柄の理解がいっそう深まることでしょう。

51. (3)「〜性」「〜的」はごまかしが利く

わかりにくく、具体的なイメージに欠ける言葉は、何もカタカナ語に限りません。「〜性」「〜的」といった言葉も、便利な反面、ごまかしの利く言葉です。

たとえば「利便性」という言葉があります。

当社のこの新製品は、従来の製品よりも利便性が格段に高まっています。貴社の業務は、この新製品によって、さらに改善されると確信します。

と言われても、その「利便性」とは何なのか、まるでわかりません。

これはたとえば、

当社のこの製品をお使いいただくことで、従来の製品を使っていた場合より、業務のスピードが速くなり、かつ業務は格段に楽になります。

と言ったほうがずっと具体的です。

「利便性」という言葉は便利ですが（まさに利便性に富んでいますが）、この言葉を使うことで、具体的な事柄は何も伝わらない可能性が出てきます。この言葉を使う人は、踏み込んだ思考をしていないことがあるということです。

便利な言葉を使っていると、使う人が思考停止になってしまう恐れがあることを、知っておきましょう。

「〜的」「〜性」という言葉の多く、あるいはいくつかはこうした性質を持っています。

「創造性」

「必要性」

「生産性」

「機能的」

「絶対的」

「政治的」


など、日常よく使う言葉も、もう一歩踏み込んで考えてみると、いったい何を意味しているのか、曖昧な場合が少なくありません。

「工場の生産性を上げる」とは、具体的にどういうことなのか、いま一度考えてみる。「機能的な組織」とはいったい何なのか、掘り下げて考えてみる。「政治的には正しい」のなら、どんな場合は正しくないのか考えてみる。

今、私は「具体的」という言葉を使いました。この言葉も「的」が入っていますが、これは別に曖昧な表現ではありません。「一般的」や「可能性」なども同様です。その意味でも、「〜性」や「〜的」といった言葉を否定しているわけではありません。

「創造性」も「必要性」も、「機能的」も「絶対的」も、そのほかの「〜性」も「〜的」も使うのは構いませんが、そのときには、それらの言葉の持つ意味を改めて考えてみることです。

それと同時に、相手にも、その中身を具体的に説明することが大切です。

たとえば、先の「利便性」の例でいえば、

当社のこの新製品は、従来の製品よりも利便性が格段に高まっています。その利便性とは、一つには〜〜〜。二つ目として〜〜〜。三つ目として〜〜〜です。したがいまして、貴社の業務は、この新製品によって、さらに改善されると確信します。

などと言ったり書いたりしてみる。

こうすることで、相手の理解度は深まり、あなたの意図は十分に伝わるようになるはずです。

52. (4)漢語表現や四字熟語の使い方

漢語表現や四字熟語についても触れておきましょう。これも、時と場合によって、使い分けるとよいと思います。

相手が年配の人の場合には、口頭でも、文書でも、ところどころに織り交ぜて、話したり書いたりするのは構わないでしょう。むしろそうすることで、印象がよくなることが多いと思います。

でも、残念ながら、若い人に漢語表現や四字熟語を使うと、通じないことが多いようです。

「週刊こどもニュース」時代、若いスタッフと打ち合わせをしていて、漢語表現や四字熟語を使うと、相手はチンプンカンプンで、コミュニケーションがとれないことが、しばしばありました。

たとえば従来からよくあるような企画が提案されると、私は、つい、「そんなもの、すでに汗牛充棟《かんぎゅうじゅうとう》だよ」などと言ってしまうのですが、通じませんね。「九牛の一毛にならないような内容のものを」と言っても、相手の頭の中には、具体的な漢字が浮かんできませんから、意味が通じません。

相手の年齢などによって、使い分ける必要があるのです。

ただし、原則を言えば、漢語表現や四字熟語の乱用は控えるべきでしょう。カタカナ用語と同じく、これらの表現があまりに多いと、何を言っているのかわかりにくくなりますし、相手の心に思いが届かなくなることもあります。

たとえば、次のような発言。


この事案につきましては、皆さんが異口同音におっしゃっていますように、私も隔靴掻《かっかそう》痒《よう》の感が否めません。一朝一夕《いっちょういっせき》に解決する問題とは思いませんが、意気消沈している時間もありません。空理空論を排し、起死回生の策を講じ、ぜひ果実を得たい。そのためには、私も粉骨砕身する所存です。浅学非才の身ですが、皆さま方にご協力と叱咤激励をお願い申し上げたい。共に捲土重来《けんどちょうらい》を期しましょう。

まあ、なんとも肩に力の入った発言です。

聞いているほうは辟易《へきえき》してきて、疲れてしまいそうです。まるで漢字の試験ですね。もう少し「普通に」言えばいいのに、という気にもなってきます。

漢語表現や四字熟語は「ほどよく加味する」のが基本と考えてください。ときどき差し挟むことによって、相手に「おやっ」という興味を引かせ、注意を喚起することにもなるでしょう。そうした意味では、スパイスのような役割もあるといえるでしょう。

53. (5)「難しいことも簡単に」書く、話す

私が記者として訓練を受けたときは、「中学生にもわかる原稿を書け」と指導されたものです。新人の新聞記者も、同じことを言われています。

しかし実際には、それとはほど遠い原稿がはびこっています。

「難しく書くことは簡単だが、わかりやすく書くことは難しい」のです。

難しいことをそのまま難しく表現することは実はとても簡単です。第1章で紹介した「日銀の説明」のように、教科書に載っているような説明をすればよいのですから、教科書を見たり、そこに書いてあることを暗記したりすれば事足ります。

しかしこの場合、言ったり書いたりしている本人がそのことの意味を本当には理解して

いないことが往々にしてあります。わからないから、噛み砕いて簡単に説明することができないのです。

難しく書けば（言えば）、立派なことを書いた（言った）気になるのは、勘違いも甚だしいのですね。難しいことでも簡単にわかりやすく書いたり、話したりすることこそ、実は難しく、高度な能力なのです。

難しいことを易しく表現したからといって、中身自体の質が高ければ、中身が色褪《あ》せることはありません。

噛み砕いて表現できるのは、そのことについて、深く理解しているからこそなのです。本質をしっかり理解していれば、易しい言葉に置き換えることは可能ですし、相手に対し、臨機応変の対応もできます。

「簡単なことは簡単に」「難しいことも簡単に」

これは、何かを伝えるときの基本です。

54.(6)相手の立場になって伝える

主語を入れ替えて話すだけで、相手が受ける印象はかなり変わります。

次の例を考えてみてください。キャスターがテレビでニュースを読んでいるところを想定しています。

A.○△鉄道会社は運賃を値上げすることになりました。

B.皆さん、○△鉄道会社の運賃が値上がりしますよ。

いかがですか？　伝えている内容はまったく同じですが、受ける印象はだいぶ違いませんか？

なぜそう感じるのでしょうか。

Aの視点は、○△鉄道会社にあります。○△鉄道会社を主語にするということは、○△鉄道会社が言いたいことを伝えていることになります。○△鉄道会社の主張を代弁しているとも言えます。これでは、視聴者の心に響きません。

では、Bはどうでしょうか。

「運賃が値上がりする」と言うことで、Aよりも、視聴者になんらかのメッセージが強く伝わります。「なんらかの」というのは、たとえば、家計の負担が増すようになるから対策をとったほうがいいですよ、ということでもあるし、今後、定期券を買うときは今までより高くなるから注意してください、ということにもなります。

さらに、「皆さん」と呼びかけることで、視聴者に関心や親近感を持ってもらえる効果も期待できます。

こうして考えてみると、Bのほうが断然、視聴者の心に届くニュースを伝えられることに気づくでしょう。

国民年金保険料が値上がりすることを伝える場合も同様です。

A. 国民年金の保険料がひと月一万三八六〇円から一万四一四〇円に上がります。

B. 国民年金の保険料をひと月一万三八六〇円から一万四一四〇円に引き上げることを社会保険庁が決めました。

C. 国民年金の保険料を払っている皆さん、月々の支払額が二八〇円上がることになりましたよ。

右の場合も、視聴者には、Cが最も「伝わる」のではないでしょうか。

これらの例は、マイナスの情報ですが、前向きな情報を伝える場合も同じです。

「JR東海は『のぞみ』を増発することにしました」

と言うより、

「東海道新幹線を利用している皆さん、『のぞみ』の本数が前より増えることになりましたよ」

と言うほうが視聴者の心に届くでしょう。

相手の立場になって考え、話したり書いたりすることが大切なのは、もちろんニュースを伝える場合に限りません。当然、ビジネスパーソンが取引先などに何かを伝えるときにも当てはまります。

たとえば、

「当社は画期的な新商品を開発しました」

と言うだけでは、相手は自慢話を聞かされている気分になるだけで、心を動かされません。

「当社が新たに開発した商品をお使いいただくと、貴社には○□のよいことがあります」

あるいは、

「貴社には○□のよいことがある商品を、当社が新たに開発しました」

と言うことで、初めて相手はその商品に関心を持つことができるでしょう。

55. (7)図解はあくまで手段

ここ数年、ビジネスの場でも図解がもてはやされています。とりわけパソコンソフトのパワーポイントはよく使われるようになっています。

パワーポイントは確かに便利ですが、最近では、パワーポイントを作ること自体が目的になっている人が多いように思います。

膨大な時間をかけて、パワーポイントでプレゼンテーションの資料を作り、膨大な時間をかけて、パワーポイントの資料を見せられる。

見せるほうも見せられるほうも、大いなる無駄です。壮大な時間の浪費です。

図解はあくまで手段であって、目的ではないことを自覚すべきでしょう。

では、どんな手段なのか。一つには、自分が何かを理解するときの助けになります。難しい問題に直面して、文章を読んだり、人の話を聞いたりしてもわからない場合に、図解してみる。そうすることで、難問が氷解していき、理解できるようになることがあります。

あるいは、複雑に絡み合った問題を解きほぐすときにも、図解は強力な味方になってくれるでしょう。

この場合、図解するのは、もちろん紙に手書きで構いません。むしろそのほうが理解は早く、深まるかも知れません。

手段の二つ目として、図解することで、企画のアイデアが浮かぶことがあります。文字だけではつながらなかった思考が、図解することでつながり、アイデアに結びつくことがあるのです。

三つ目としては、人に伝える手段としての図解です。この場合には、パワーポイントが大きな武器になることもあるでしょう。

ただし、きれいで見栄えのよい図表を作れたからといって、それに満足してはいけません。その図表を使って、いかにプレゼンテーションを行なうかのほうが、より重要な事柄です。

56. (8)矢印を使い分ける

図解は急速に広がっていますが、不明瞭な図解も少なくありません。とりわけ感じるのは、矢印の使い方が曖昧なことです。

矢印には、いろいろな意味があります。

たとえば、

「時間の経過を意味する矢印」

「論理の流れを示す矢印」

「因果関係を説明する矢印」

などです。あるいは、単に、

「デザインとしての矢印」

もあるでしょう。

これらを区別せずに混在させて使うと、受け手は理解しにくくなります。

矢印を使う場合は、これはどういう意味合いで使う矢印か、ということを常に意識することが大切なのです。

たとえば「時間の経過を意味する矢印」に「⇩」を使うとしたら、ほかの場面でも、時間の経過はこの矢印を使ったほうが受け手にはわかりやすい。

江戸時代⇩幕末の動乱と明治維新⇩明治国家の成立

バブル経済⇩失われた一〇年

といった具合です。

たとえば「因果関係を説明する矢印」に「↓」を使うとしたら、ほかの場面でも、因果関係を説明する矢印はこの矢印を使ったほうがよいでしょう。

平和が続いた江戸時代↓文化の発展・成熟

規制緩和↓競争の激化

といった具合です。

このように、矢印を区別して使うことで、受け手はその図解を理解しやすくなります。それと同時に、もう一つ、メリットがあります。それは、作成者自らの理解が深まることです。

たとえば「バブル経済」と「失われた一〇年」、「規制緩和」と「競争の激化」、それぞれの関係を同じ「↓」で表わしていたとします。

バブル経済↓失われた一〇年
規制緩和↓競争の激化

このとき、作成者の頭の中では、それぞれの矢印の前後関係は、おそらく整理されていなかったと考えられます。これらを、違う意味合いのものと理解していれば、違う種類の矢印を用いるはずだからです。

このように、矢印の意味を意識しながら使うと、図を使って説明する人自身の理解も深まるでしょう。

また、デザインを考えてのことか、下から上へ向かった矢印を使った図解を見ることもありますが、一般的には、あまりお勧めできません。人間は無意識のうちに、物事は上から下へ進むと感じているからです。論理が下から上へ向かって展開されると、受け手は違和感を覚えるし、混乱してしまうでしょう。

矢印は図解で頻繁《ひんぱん》に使われるわりに、安易な用法が多いように思います。基準を決めて使うことなどで、自らの理解が深まり、受け手にもわかりやすい図解ができるようになるはずです。

57. (9)図に入れる文字は最小限に

テレビの情報番組などでは、わかりやすく伝えることが求められます。そのためには、図表が大いに役立ちます。

NHKの番組、たとえば「ためしてガッテン」でも、図やグラフ、表をよく使います。この番組をご覧になった人はわかるかもしれませんが、その図表には、文字がほとんど入っていません。スタッフが文字を最小限にするように工夫しているからです。

テレビは雑誌や本と違って、限られた時間、少ない時間の中で、内容を理解してもらわなくてはいけません。画面に映る図表に文字がこまごま書かれていたり、長文の文章が載っていたりしたら、視聴者はウンザリするでしょう。

テレビはくつろぎながら見ている人が多いのですから、当然といえば当然です。

それだけテレビのスタッフは、どれだけ文字の少ない図表を作るか腐心しています。

それに対して、雑誌や本に載っている図表には、ずいぶんと多くの文字が載っているという印象を受けます。出版界の人たちは活字人間だけに、図表にも文字を入れたがるのでしょう。

でも、パッと見て、すぐにわかるのが図表のよいところ。その図表を説明するために長い文章が必要なら、何のための図表かと言いたくなります。

次のページの図を見てください。

ビジネスパーソン向けの雑誌、月刊『THE21』（PHP研究所）の二〇〇七年二月号に載っている図です。実際のこの図の横には、インタビュー記事が載っています。

ということは、この図は、そのインタビュー記事を要約する性格を持っていると解釈することができます。

この図はなかなかよくできていると思いますが、修正したほうがよい点もあります。そ

できる営業マンは、商談を「仕切る」！

「それはお客様のためになりません
（対等な関係だという気持ちで）」

できる営業マン

最終的に顧客の役に立つか否かを考え、
そうでない場合は顧客の要望でも断る

↓

最初は不快感を与えるかもしれないが、
結果的には顧客のためになるので、
満足してもらえる

↓

○ いい取引が続いていく

「ぜひ、買ってください。お願いします
（へりくだった口調、態度で）」

できない営業マン

発注さえもらえればいいと思って、
なんでも顧客の言われるままにする

↓

自分の商品に自信がないと思われる。
仮に売れても、顧客の要望どおりだが、
質の悪い商品になってしまう

↓

× それ以降取引が続かない

れは、文章が長すぎる点です。

たとえば「できる営業マン」の「最終的に顧客の役に立つか考え、そうでない場合は顧客の要望でも断る」の箇所。長すぎます。

ここは、たとえば「顧客のためにならなければ、顧客の要望でも断る」で十分です。あるいは、もっと短くして、「顧客のためにならないことは断る」でもよいでしょう。

吹き出しの文章も長い。

「それはお客様のためになりません（対等な関係だという気持ちで）」

と、二行にわたって書かれていますが、図の吹き出しは、原則として一行にすべきでしょう。

ここは、

「それはお客様のためになりません」

だけで十分ではないでしょうか。この図の横には、インタビュー記事が載っているのですから。

よい点も指摘しておきましょう。

まず一つ。「できる営業マン」と「できない営業マン」で色分けがされていて、ひと目見て違いがわかるように工夫されています。

二つ目。イラストを入れていて、しかも、そのイラストはそれぞれの営業マンの特徴をよく表わしています。

三つ目。吹き出しを見れば、「できる営業マン」と「できない営業マン」の特徴が瞬時にわかります。また読み手は、イラストと吹き出しがあることで、親近感を持つでしょう。

この図の場合には、インタビュー記事があって、なおかつそちらが誌面の重要な部分を担っています。図はそのインタビュー記事を補完する役目ですから、図には、インタビュー記事の概念だけを描けば事足ります。いろいろな要素を詰め込むと、インタビュー記事と重複して、くどい感じがしてしまうのです。

第7章

この言葉・表現は使わない

58. (1)「そして」「それから」

文章力を高めようと思って、自分に課したことがあります。それは、接続詞をなるべく使わないことです。「そして」や「それから」の類です。

これらの接続詞が多い文章は、幼稚になりがちです。子どものころの作文を思い浮かべるとわかると思います。

朝起きたら、天気がよかったです。ねむかったけれども、がまんしてふとんから出ました。

そして、手と顔をあらいました。そして、きがえをしました。

それから、おかあさんが作ってくれたごはんを食べました。おかずは、みそしると目玉焼きとつけ物でした。とてもおいしかったです。

そして、歯をみがきました。そして、歯をみがいているとき、もっとしっかりみがきなさいと、おとうさんに言われました。ぼくは、ちゃんとみがいているのにな、と思いました。

それから、ランドセルを持って、学校へ行きました。そして、勉強しました。……

こんな調子です。

「そして」と「それから」がやたらに出てきますね。

小学生の低学年レベルでしたら、これぐらいの作文でも仕方がありませんが、大人、それもビジネスパーソンがこうした文章を書くようでは、仕事の能力を疑われてしまいますね。

本来、文章が論理的であれば、「そして」や「それから」は不要なはずです。

試しに、右に書いた小学生レベルの作文を、せめて中学生レベルにしてみましょう。

目を覚ますと、今朝も快晴。眠い目をこすりながら、なんとか布団から出ました。

まずは手と顔を洗い、着替えをすれば、眠気もすっかり吹き飛びます。

母が作ってくれたご飯を食べて、気力とともに体力も充実させよう。今朝のおかずは、みそ汁と目玉焼き、それに漬け物と、至ってシンプル。でも、これがまたおいしかった。

食後に歯を磨いていると、父に小言を言われてしまう。「もっと丁寧に磨いたらどうだ」と。これでも丁寧に磨いているんだよ、と内心思うが、口には出さず。

バッグを持って、いざ学校へ。

いかがでしょうか。

文章の論理が続いていれば、あるいは、時間の経過が明らかならば、「そして」や「それから」を使わなくても、スムーズな文章を書けることがわかると思います。

むしろ、「接続詞を使わないで文章を書こう」と決意しますと、接続詞がなくても論旨が通るように文章の論理を研ぎ澄まさなければなりません。この努力を続けていくと、論理的で読みやすい文章が書けるようになるのです。

59. (2)順接の「が」

できるだけ避けたほうがよい言葉はほかにもあります。

順接の「が」もその一つです。

「～～ですが」「～～ではあるが」「～～だが」などの「が」は通常、逆接です。それまでの文章の逆の内容をこれから否定する、ということです。

A．今月は売上げ目標に達しなかったが、来月こそ、きっと達成してみせる。

B．昨日はお客さまの前で失言をしてしまいましたが、もうあのような失態は演じません。どうかもう一度チャンスをください。

C．セキュリティー対策は十分にとっていたというが、結局、ウイルスにやられてしまったじゃないか。

これらはいずれも逆説の「が」です。論理が明瞭で、わかりやすい。「が」の前と後で、意味が反対になっているからです。これが、本来の「が」の用法です。

では、次の「が」が入った文章はどうでしょうか。

D．今日はよい天気ですが、お元気でしょうか。

E. 彼は仕事ができるが、スポーツもできる。

F. 当店でお買い物いただくと、お手持ちのカードにポイントがつきますが、水曜日は二倍のポイントがつきます。

まずDについてです。

今日、天気がよいことと、相手が元気であるかどうかは、どういう関係にあるのでしょうか。曖昧ですね。まあ、通常は無関係でしょう。論理的な表現ではないのです。

Eはどうでしょうか。仕事ができることとスポーツができることとは、やはり対にはならないでしょう。

これはむしろ、

彼は仕事ができるし、スポーツもできる。

と書いた（言った）ほうがしっくりきます。あるいは、

彼は仕事ができる。その上、スポーツもできる。

と書けば（言えば）、さらにすっきりします。

Fも、「が」の前後は反対の意味ではありません。

「当店でお買い物いただくと、お手持ちのカードにポイントがつきますが、水曜日は」ときますと、「ポイントはつかないのかな」と思ってしまいます。

ところが、「二倍のポイントがつきます」と、予想に反した言葉が続きます。これでは、相手によけいな神経を遣わせます。

では、どうしたらよいのでしょうか？

たとえば、

当店でお買い物いただくと、お手持ちのカードにポイントがつきます。水曜日はさらにお得で、通常の二倍のポイントがつきます。

などと表現してみてはどうでしょうか。このほうがずっとわかりやすいし、読み手や聞き手の心に響くはずです。

こうした順接や曖昧の「が」があると、文章は非常にわかりにくくなります。が、この「が」が横行しているのもまた事実です。

この「が」を使わないだけで、文章は格段に読みやすく、わかりやすくなります。

ただし、話す場合は、そこまで厳密に考えなくてもよいでしょう。使わないに越したことはありませんが、話し言葉は書き言葉に比べると、かなりいい加減で曖昧です。そこまで話し言葉に制約を設けなくても、言いたいことが明瞭であれば、十分に通じます。聞くほうも、文法を分析しながら聞いているわけではありませんから、あまり神経質になる必要はないでしょう。

しかし、文章を書く場合は避けるべきです。

60. (3)「ところで」「さて」

「ところで」や「さて」も使いすぎないほうがよいでしょう。論理の積み重ねの腰を折ってしまうからです。

次の文章を読んでみてください。

三丁目の駅前の立地条件を調査した結果、わが社としては、出店するのが望ましいと判断いたしました。
ところで、先ほど提案いたしました二丁目の店舗進出につきましては、メリットが大きくないと言わざるを得ません。
さて、三丁目の駅前の件です。なぜ、ここに出店するのがよいかと申しますと、～～。

少し極端な例ですが、話の筋道をたどっていくことが困難ですね。話す場合でも、話があちこちに行ってしまう話し方は好ましくありません。

取材を受けていて、「ところで」を連発するインタビューアーに会ったことがあります。聞かれたことについて私が答えると、「ところで、○△についてですが」と、別の話題に変えます。

私が言ったことについて、

「それはどういうことですか？」

「もう少し詳しく聞かせてください」

「へぇー、そんなことがあるんですか。でも、どうしてそうなったんですかね？」

などとツッコミを入れてくれると、話が深まるのですが、「ところで」と言われてしまうと、話が途切れ、深まりません。聞かれる側もいい気持ちはしないものです。このインタビューアーは、事前に用意した質問を順番に聞いているだけだったのです。

話題を変える必要があって、「ところで」や「さて」を使わざるを得ない場面はもちろんあるでしょう。でもそれは、一つのテーマについて突っ込んだ話をした後でのことなのです。

61. (4)「いずれにしても」

「いずれにしても」「いずれにしましても」は、絶対に使ってはいけません。「いずれにしても」は、その直前まで書いていたことの論理に関係なく話を無理にまとめる行為です。場合によっては、それまでの論理の流れを否定しかねません。

次の文章を読んでみてください。

　この新商品のよい点は主に三つあります。
　一つは、正確で迅速な事務処理が可能になります。
　二つ目として、経費が節減できます。
　三つ目として、誰でも簡単に操作できることがあげられます。
　いずれにしましても、この新商品は貴社に大きなメリットをもたらすはずです。

最後に「いずれにしても」と書いたのでは、前に書いていたことは何だったのか、ということになってしまいます。前段階であげたことが生かされていないのです。三つのよい点を自ら無視しているようなものです。

この場合なら、最後の一文はたとえば以下のようにしてみると、まとまりがよくなると思います。


以上の三点から、この新商品は貴社に大きな利益をもたらすと、自信を持って言うことができます。


こう書くことで、論理が一貫してつながることになり、三つあげたよい点が無駄になることはありません。

この「いずれにしても」は、文章を読んでいると、しばしばお目にかかります。

それまで、せっかく論理を積み上げてきても、このひと言があることで、それまでの論理展開が台なしになってしまいます。

あるいは、論理に無理があり、それをごまかすために、「いずれにしても」を入れて、無理にまとめようとしている文章もあります。

いずれにしても、「いずれにしても」の安易な使用は控えたほうがよいでしょう。

62.　(5)メールの絵文字

いまやメールはビジネスにおいて必須の道具。朝に夕に、パソコンでメールをチェックするという人は多いはず。

プライベートでも、携帯電話を中心に、メールを使う人は急速に増えています。その影響か、絵文字や（笑）（涙）などの文字を使うビジネスパーソンも増えているようです。

しかし、少なくとも仕事でメールを送るときには、これらの文字は使うべきではありません。相手に幼稚な印象を与えるだけでなく、これらの文字は「逃げ」であり、「手抜き」でもあるからです。

文章は本来、相手が読むだけで、的確に理解できるものでなくてはいけません。たとえば、「悲しい」ことを文章で伝える場合には、それ相応の手間と能力を要します。

ところが、これが絵文字を使うと、簡単にできてしまいます。「昨日観た映画、すごく悲しかった。ウルウル(T_T)」などと書くと、なんとなく気持ちが伝わった気になります。

しかしこの文章では、どの場面がなぜ、どのように悲しかったのかは、まったく表現されていません。「ウルウル(T_T)」で逃げているし、それによって、思考も停止しているからです。

友人や恋人とのメールのやりとりなら、これでも差し支えないでしょうが、さすがにビジネスの場面で、こうしたメールは送るべきではありません。

また、文章だけで意思を伝えるには、表情が読み取れる会話よりも高度な技術が求められます。

たとえば、手紙やメールでちょっとした皮肉を言いたい場合、文章だけでそれを表現するには、前後の文章で、罪のない皮肉になるように工夫する必要があります。これには、かなり高度な技術を要します。

メールや手紙に「立派ですね」と書かれてあっても、本当に立派だと思ってくれているのか、皮肉で言われているのか、なかなかわかりません。

これに対し会話では、皮肉かどうか判断するのは容易です。「それは、それは、ご立派なことで」と言われた場合、その人の表情や仕草《しぐさ》を見れば、言葉とは裏腹に、皮肉を言っていることがわかります。

文章だけで意思を伝えるのは、なかなか難しい作業です。それだけに、思考力も表現力も鍛えられます。

逆に、絵文字の使用に慣れてしまうと、掘り下げて考えなくなり、思考力も表現力も低下してしまう可能性があります。ビジネスパーソンが絵文字を使うのは、プライベート、それもごく一部に限定するのが賢明でしょう。

改めて「使わないほうがよい言葉や文字」をおさらいしてみましょう。

・そして／それから
・順接の「が」
・ところで／さて
・いずれにしても
・絵文字の類

いずれにしても（笑）、これらの言葉や文字を使わないように心がけるだけで、あなたの文章表現力は格段に高まるはずです。

第8章

上質のインプットをする

63. (1)アウトプットするには、インプットが必要

「書く」行為や「話す」行為をアウトプットとすると、インプットは「読む」行為といえます。質の高いアウトプットをするためには、インプットが欠かせません。

書くことを生業としている人、たとえば作家と呼ばれる人の多くは、若いころから現在に至るまで、実にたくさんの本を読んでいます。それこそ年間に三〇〇冊、五〇〇冊読む人も珍しくありません。

そうやって大量の知識を吸収し、自らの血肉にしています。また、技術的にも多くを学び、自分の作品に反映させています。

〝つかみ〟に関しても、それは言えるでしょう。

本を読んで、この書き出しはおもしろいなと思うこともあるでしょうし、反対に、彼(彼女)がこういう書き出しをしているのなら、自分はあえて違った書き出し方をしてみようと思うこともあるでしょう。

読書をすることが重要なのは、ビジネスパーソンも同じです。豊かな表現力や説得力の

ある文章を書くには、本を読むことがどうしても必要です。

もちろん本だけではなく、新聞や雑誌、あるいはほかの人が書いたビジネス文書を読むことも大切でしょう。

「子どものころ本を読まなかったから、自分は文章が下手なんだ」と思う人もいるかもしれませんが、落胆する必要は全然ありません。いいえ、落胆している暇はありません、と言ったほうがよいでしょう。今日からでも明日からでも、本を読んで、それを習慣にしてください。

本を読む時間がないという人がよくいますが、そんなことはないはずです。

電車通勤であれば、行き帰りの電車の中、新幹線での出張の車中、寝る前の一五分、昼休みの一〇分、あるいはレストランの一人ランチで、昼食が運ばれてくるまでの一〇分……

……

「読む気」さえあれば、時間はいくらでも見つけられるはずです。

「読むのが遅くて、一冊読むのもひと苦労。速読術をマスターしないと、今の時代、対応できないのかな」

こんなことを言う人もいます。

読書量を増やすには、何も速読術をマスターする必要はありません。一文字一文字読んでいくオーソドックスな方法でも、毎日、本を読んでいると、読むスピードは間違いなく速くなるのです。

64. (2)小説を読む

本を読むことが大切なのはわかった。では、どんな本を読んだらいいのか。どんな本を読むと、「伝える力」が養われるのだろうか。……

こうした疑問を持つ人も多いでしょう。

それには、いわゆるビジネス書の類(この本もそうですね)や「上手な文章の書き方」「うまい話し方の本」といったハウツー本も参考になるでしょう。

しかし、これら以上に私が勧めたいのは小説です。

小説のジャンルは、ミステリーでもファンタジーでもSFでも歴史ものでも、あるいは恋愛小説でもビジネス小説、そのほかなんでも構いません。

相手に何かを伝えようとするときには、その相手に伝えたいことのイメージを持ってもらう必要があります。そのイメージの伝え方を学ぶには、小説を読むのが最適です。

小説を読んでいて、頭の中に絵が浮かんできたという経験は、多くの人が持っていると思います。

優れた小説には、よけいなことは書かれていない反面、読者の興味をかき立てる要素はしっかり押さえられています。そうした物語を読んだ読者は、それぞれ自分でイメージを膨らませ、頭の中で絵を描きます。

たとえば、川端康成の『雪国』の有名な序文、

国境《くにざかい》の長いトンネルを抜けると雪国であった。夜の底が白くなった。信号所に汽車が止まった。


景色が一変し、何かが起こり出す。読者の興味は一気に駆り立てられます。

あるいは、夏目漱石の『吾輩は猫である』の出だし。


吾輩は猫である。名前はまだ無い。

どこで生れたか頓と見当がつかぬ。何でも薄暗いじめじめした所でニャーニャー鳴い

ていた事だけは記憶している。

主人公が猫であることに、まず興味を惹かれます。いったいこれから何が始まるのだろうという興味は尽きないし、文章のリズムも心地よい。

このように、相手にイメージを喚起させ、膨らませる力は、ビジネス書やハウツー本にはあまり期待できません。物語の世界にまで誘《いざな》ってくれる小説にこそ期待できることです。

なお理想をいえば、小説を読むときには、単に内容を追って理解するだけでなく、「こんなに惹き込まれるのは、どんな書き方をしているからなのか？」と、文章構造を分析している「もう一人の自分」と一緒に読んでみましょう。

いつもこの読み方をしていると、せっかくの楽しい読書も、少し面倒になってしまうかも知れませんから、ときどき意識する程度でよいと思いますが。

ただ、小説で使われている「読み手を惹き込む手法」を自分なりにいくつか見つけられれば、ビジネス文書を書く場合に、きっと大きな武器になるはずです。

65. (3)人間と語彙の幅を広げる

小説を読むメリットはもちろん「伝える力」が培われるだけではありません。少し大仰にいえば、人生の勉強になります。

たとえば、ビジネス小説を考えてみてください。

読んでいるうちにどんどん惹き込まれて、自分が主人公だったらどう考えるか？　いかに行動するか？　といったことを考えながら読み進めることが多いと思います。

ビジネスパーソンとしての意欲や行動力、倫理観のあり方なども考えさせられるでしょう。

あなたにとって直接体験することではないけれども、さまざまな状況が設定されているために、そこでどう判断すべきか、そのつど考えることができます。

小説をたくさん読むということは、このシミュレーションの数がそれだけ増えるということです。

たとえば、主人公が大手メーカーの経営者だとします。

そのメーカーが外資系企業に呑み込まれそうになっている。そのとき、経営者はどんな行動をとるか。部下の行動は、ライバル他社の動向は……

いろいろな登場人物に自分を投影させて読むことで、実にさまざまな〝体験〟をすることができます。のちに、実際に体験することになったときには、大いにヒントになることでしょう。

感動したり怒ったり笑ったりすることで、あなたの感性を豊かにもしてくれるはずです。それは、話すときにも、文書を書くときにも、「人間としての幅」となって現われてくるように思います。


また、ボキャブラリーが増えるのも、読書の効用の一つです。

テレビやラジオは話し言葉が主体ですから、難しい言葉や漢語的な表現はあまり出てきません。新聞には、常用漢字以外の漢字はあまり使われないので、こちらもやはり難しい表現はそれほど出てきません。

その点、本にはそうした制約はありませんから、さまざまな表現が出てきます。必然的に語彙《ごい》も豊かになります。

66.(4)落語に学ぶ

話し方を学ぶには、落語は最高の教材になり得ます。演芸場に足を運ぶのもよいでしょうし、ＣＤやテープを繰り返し聞くのもよいでしょう。

一流の落語家は、とりわけ間《ま》のとり方が見事です。一瞬止めて、間合いをとったかと思うと、また立て板に水を流すごとく話を続けます。

ほんの一秒、二秒ではあっても、この〝タメ〟が効いて、聞き手は、

「次はどうなるんだろう？」

「何を話すんだろう？」

と興味津々で、思わず惹き込まれてしまいます。

まだ修業の身の落語家は、ストーリーを覚えることに一所懸命で、間までは、神経が行き渡りません。だから、聞いているこちらも、いまひとつ惹き込まれません。

ビジネスパーソンでも、話の下手な人は、えてしてこの間合いのとり方が苦手です。

話すとなると、緩急をつけることもなく、ボソボソとずっと話し続ける。会議の場など

では、周りの人の顔も見ないで、抑揚もつけずに話すものですから、聞いているほうは飽《あ》きてくるし、場の空気も重くなってしまいます。

企画会議で非常に価値のある企画を提案しても、話し方がまずいために、その企画が通らないといったことも起きてしまいます。内容がよい企画なのに、もったいないことです。反対に、企画の内容はたいしたことがないのに、話が上手なために、企画が通ることも珍しくありません。

話し下手、プレゼンテーション下手なビジネスパーソンは、落語を聞いてみるのも、一つの方法でしょう。

落語を聞くことがすぐにビジネスに功を奏するとは思いませんが、長い目で見れば、ビジネスにもきっと役立つはずです。

ただ、あまりのおもしろさに夢中になって、仕事に身が入らなくなっては元も子もありませんが。

67. (5)スケジュール管理がビジネスを左右する

最後に、メモのとり方やスケジュール管理にも触れておきましょう。

若いころの私のスケジュール管理については、とり立ててお話するようなことはありません。当時の私の仕事は、毎日のように、警察署や市役所を回り、事件や事故の情報をキャッチすることに明け暮れていたからです。

若いころ使っていた手帳は、ＮＨＫから支給された、手のひらにすっぽり収まる小さなメモ帳です。これに、５Ｗ１Ｈの事実を中心に書き込んでいました。

このメモ帳には、記者クラブや警視庁、各省庁などの電話番号が書かれていて、とても重宝しました。当時はもちろん、携帯電話がありませんから、用があるときは公衆電話を使っていました。テレホンカードもない時代。いつでも公衆電話が使えるように、財布に一〇円玉をたくさん入れておくことが必須でした。

スケジュールを管理する必要に迫られるようになったのは、社会部の遊軍《ゆうぐん》に異動になってからです。遊軍とは、もともと軍隊用語。特定の作戦に投入される部隊とは別にいて、戦闘で苦戦する部隊の応援に回される組織のことです。社会部の中で、記者クラブに所属せず、自分で自由にニュースを探したり、番組の企画を出したりする部門です。

それまでのいわば「発生待ち」の仕事のスタイルから、自ら企画を立て、取材をする仕事のやり方に変わったことで、スケジュールを管理する手帳が必要になったのです。

社会部に移って持ち始めたスケジュール管理用の手帳は、週間タイプのものです。月曜から日曜までの一週間の日付と曜日が左ページに書いてあって、右ページに余白があります。

今では、百花繚乱《ひゃっかりょうらん》の体《てい》すらある手帳ですが、それでもまだ、この週間タイプの手帳が最も多く使われているように思います。

一時期、電子手帳をいくつか使ってみたのですが、スケジュールを管理したり、出先でメモをとったりするには、手間がかかって、私には不便でした。現状ではまだ、紙とペンの〝アナログ手帳〟に軍配が上がると思います。

現に昨今のビジネス手帳は、ほとんどアナログ手帳に回帰しています。

68. (6)スケジュールは公私ともに一冊で管理する

週間タイプの手帳は今も使っています。この手帳の私の使い方を紹介してみましょう。

この手帳を左ページと右ページとで分けて使っているのです。

左ページには、テレビ番組の出演日やインタビューを受ける日時、打ち合わせの日程などを書き、右ページには、原稿の締切やプライベートな予定などを書いています。

ＮＨＫ時代は、左ページには、提案会議の日時や取材予定など、ＮＨＫ職員としての仕事に直接、関係することを書き、右ページには、個人で受けた本の原稿の締切日やプライベートな予定を書いていました。

今も昔も共通するのは、仕事もプライベートも、一冊の手帳で管理することです。手帳を仕事とプライベートで分けてしまうと、ダブルブッキングをしてしまう恐れがあるからです。

たとえば、五月一五日の午後七時から、高校時代の同級生と飲みに行く約束をしたとしましょう。プライベートなことだからと、家のカレンダーにだけ書いておきます。ところが、得意先を接待することになって、職場で仕事用の手帳を見ると、五月一五日の夜が空いている。そこで、この日に得意先の接待を入れてしまう。家のカレンダーは時々しか見ないので、前日になって、やっと気づくありさま。友人には、事情を話して、予定を変更してもらった。

こんなことがありそうですね。当然、友人はよい気がしないでしょう。

スケジュール管理を一カ所でしていないと、こうしたことが起こりがちです。これでは、「伝える力」の根幹であるコミュニケーションがとれず、相手を怒らせてしまうことにもなりかねません。

仕事もプライベートも、両方とも大切ですし、身は一つなわけですから、一冊の手帳で管理するのが合理的なのです。

ビジネスパーソンの場合は、たとえば、左ページには、打ち合わせや会議の日時、交渉日など、他人が関わる日時を書き、右ページには、企画書の提出期限や納品日、打ち合わせの下調べをする日時など、自分にだけ関わる事柄を書くといった方法もあるでしょう。

スケジュールは公私ともに一冊で管理する。これが基本ですが、より望ましいのは、バックアップ用にもう一冊の手帳を持っておくことです。

手帳は基本的には持ち歩くものです。当然、落としたり、置き忘れたりするリスクがあります。

ですから原則として、もう一つの手帳にも同じことを書きます。バックアップ用の手帳は、大きいものなど、ふだん持ち歩く手帳と違っても構いません。

少々面倒ですが、万が一を考え、万全を期すには、オフィスなり自宅なりに、もう一冊の手帳を置いておくことをお勧めします。

そう言いつつ、実はこれは、私もまだできてはいないのですが。

69. (7)年始に大まかな一年の予定を組む

私は、年末、あるいは年が明けたらすぐに、その年一年の主なスケジュールや行事を手帳に書き込みます。

二〇〇七年の場合を例にとると、たとえば、七月五日の欄には「参議院議員選挙の公示日」、一〇月一日の欄には「郵政公社が民営化」、一二月一九日の欄には「韓国大統領選挙」などと、二〇〇七年の年始に書き込みました。

新聞に「今年一年の予定」が年始に載りますから、それを参考にして書き写すのです。そうすることで、その時期の前後に何が起こりそうか、あるいは自分が何をすべきかがあらかじめわかります。

年末年始に書き込むだけでなく、自分の仕事に関係しそうな行事や計画はそのつど、新たに書き足しています。

この方法は、多くのビジネスパーソンにとっても、活用できるでしょう。あらかじめ決まっている行事などを書き込むことで、先々を考えた仕事ができるようになるからです。たとえば、九月二〇日に自分の仕事に関係しそうなイベントがあるなら、それを手帳にあらかじめ書き込んでおくことで、その日までに自分がすべきことが見えてきます。

また、プライベートに関する事柄も年末年始に、手帳にあらかた書いてしまいます。たとえば、親しい人の誕生日や記念日などを前年の手帳から転記します。こうしておくと、忙しくても失念することがありません。あなたも、家族、あるいは友人や恋人の記念日などを手帳に書いているかも知れませんね。

もちろん、それだけではなく、大切な取引先やお世話になった人の誕生日や記念日を書いておくことです。当日は、お祝いの言葉をかけたり、メールを送ったりします。

○△さん、お誕生日、おめでとうございます。今後ますますのご健勝を願っております。

本日は□○会社様の設立記念日ですね。これほどまでに発展されたこと、誠におめでとうございます。今後いっそうのご発展をお祈り申し上げます。

……と書いて送ったり、口頭で伝えたりする。相手は、自分のことをそれだけ気にかけてくれているのだと喜んでくれることでしょう。

70. (8)思い立ったらすぐにメモ

手帳の左ページには、主に仕事関係のことを記し、右ページには、主にプライベートなことを記すと書きました。名刺も同じように分類しています。

手帳の左ポケットには、現在、連載を抱えている出版社の担当編集者の名刺を挟んでいます。連載が終われば、その名刺は所定のファイルに戻します。

右袖には、以前利用して好感を持った居酒屋やレストランのカードを挟んでおきます。編集者と打ち合わせ、というときに、この中から行く店を選ぶのです。あまり行かなくなると、やはりファイルに戻します。

また、私が手帳用に使っている筆記用具は〇・九ミリのシャープペンシルです。これはかなり太い芯で、書き味がとても滑らか。予定は変わることもありますから、変更になった場合は、消しゴムで消して書き直します。

消しゴムは、ペンシル型の消しゴムを常に持ち歩いています。やり終えた仕事は消さずに、シャープペンシルで線を引いて、終わったことがわかるようにします。

これとは別に太さ一・六ミリという非常に太いボールペンを持っていて、こちらは取材で使います。

取材用には、通常の大学ノートを使います。ちょっとしたメモは、要らなくなったA4の用紙の裏に書いています。

あなたも、電車の中などで、ふと企画を思いついたり、得意先に提案したいことが浮かんだりすることがあるでしょう。そうした場合、会社に戻ってから書こうなどと思っていると、忘れてしまいます。

そこで私は、電車の中でA4の用紙を取り出し、メモを走り書きするのです。朝のラッシュ時は、さすがに車内でメモできませんから、ホームに下りてから柱の陰に立ち、人の流れを邪魔しないようにしてから、A4用紙を取り出します。

「思いついたら、すぐにメモをとる」ことで、アイデアや企画案は蓄積され、「伝える力」はパワーアップされていくことでしょう。

おわりに

この本は、〝陰謀〟によって実現しました。ある日、ＰＨＰの月刊誌『ＴＨＥ21』の担当者とビジネス出版部の前田守人副編集長が訪ねて来て、「ビジネスパーソン向けに、伝える力についての短期連載をしたい。ついては、いろいろ取材させてください」と提案を受けたのです。ハイハイ、と二つ返事でお引き受けし、時々編集部にお邪魔して勝手な話をしていました。ところが、短期連載が終わったところで、「これをまとめて本にしたいのですが」と持ち出されたのが、ＰＨＰビジネス新書の企画でした。

しまった！　と思ったのですが、後の祭り。その結果、こういう形の本になりました。これが、もし最初に「『伝える力』という本を出したいのですが」という話から始まれば、「では、そのうちに」ということになっていたはずなのに、既成事実を積み重ねられてしまっては、逃げられませんでした。

つまりは、前田さんをはじめスタッフの作戦勝ちだということですね。ビジネスの企画は、このように計画的に、用意周到に、相手が拒否できないように話を持っていくことが大事なのですね。勉強になりました。

でも、そのおかげで、私がふだん漠然と考えていることを、まとめることができました。感謝しています（恨んでいます）。

連載の際も、本にする際も、平出浩さんにお世話になりました。ありがとうございました。

この本の内容は、あくまで私が試行錯誤しながら編み出してきたもの。誰にでも役に立つものかどうかはわかりませんが、少しでも仕事のお役に立てれば幸いです。

さて、これで、私の手帳の左ポケットに入っていた前田さんと平出さんの名刺をしまい込むことができそうです。

二〇〇七年三月

池上　彰

PHP
Business Shinsho

池上　彰（いけがみ・あきら）
1950年、長野県生まれ。慶應義塾大学卒業後、73年NHK入局。報道記者として、松江放送局、呉通信部を経て東京の報道局社会部へ。警視庁、気象庁、文部省、宮内庁などを担当。94年より11年間NHK『週刊こどもニュース』でお父さん役を務める。05年3月にNHKを退社し、現在はフリージャーナリストとして多方面で活躍。
著書に『そうだったのか！　現代史』（集英社）、『相手に「伝わる」話し方』（講談社現代新書）、『ニッポン、ほんとに格差社会？』（小学館）など多数。

PHPビジネス新書 028

「話す」「書く」「聞く」能力が仕事を変える！
伝える力

2007年5月2日　第1版第1刷発行
2007年10月19日　第1版第13刷発行

著者　池上　彰
発行者　江口克彦
発行所　PHP研究所
東京本部　〒102-8331　千代田区三番町3番地10
ビジネス出版部　☎03-3239-6257(編集)
普及一部　☎03-3239-6233(販売)
京都本部　〒601-8411　京都市南区西九条北ノ内町11
PHP INTERFACE　http://www.php.co.jp/
装幀　齋藤　稔
組版　朝日メディアインターナショナル株式会社
印刷所
製本所　共同印刷株式会社

ISBN978-4-569-69081-0

「ＰＨＰビジネス新書」発刊にあたって

わからないことがあったら「インターネット」で何でも一発で調べられる時代。本という形でビジネスの知識を提供することに何の意味があるのか……その一つの答えとして「**血の通った実務書**」というコンセプトを提案させていただくのが本シリーズです。

経営知識やスキルといった、誰が語っても同じに思えるものでも、ビジネス界の第一線で活躍する人の語る言葉には、独特の迫力があります。そんな、「**現場を知る人が本音で語る**」知識を、ビジネスのあらゆる分野においてご提供していきたいと思っております。

本シリーズのシンボルマークは、理屈よりも実用性を重んじた古代ローマ人のイメージです。彼らが残した知識のように、本書の内容が永きにわたって皆様のビジネスのお役に立ち続けることを願っております。

二〇〇六年四月

ＰＨＰ研究所